アトランタ
からきた
少女ララ
Hirokohji Satoshi
広小路 敏
青弓社

アトランタからきた少女ラーラ　目次

アトランタからきた少女ララ

Lara, a Girl from the Planet Atrantor

ケイティ、僕のユーマノイド Katie, Mon Humanoïde

装画——谷川千佳
装丁——Malpu Design［清水良洋］

アトランタからきた少女ラーラ

Lara, a Girl from the Planet Atrantor

Lara, a Girl from the Planet Atrantor

Through the Hyperspace "G-Tube Network", a Space Sailing Race was held around the capital area of the Great Galaxy. In that race, spaceship "Earhart" was suddenly thrown out to the suburban area near by edge of the Galaxy. There was a guest crew member, Lara Amato who had to stay on a planet which was the third star floating near the spaceship. It took 90 days (in Earth Time) until the rescue of Phase Space Corp would arrive at that area.

On the other hand, our hero swordsman Shiroh entered high school and was very welcomed by a Sophomore girl. Then he took part in a brass band and was invited to a one day seashore trip by two freshmen, Origa and Sanae, who were members of the brass band. Three people went on the trip with Daisuke who was one of Shiroh's Kendo colleagues on a day in the summer vacation. On the shore, they met a girl named Lara who was a foreign student from Canada. Lara invited them to her yacht boat. Five people enjoyed Free Diving at Sunset at the bay of a desert island.

On the way home, they were assaulted by thugs. Shiroh and Daisuke bravely protected the girls from them. Lara exploded her anger to the motorcycle gang who showed their true wolfish instincts...

What purpose did the riot members have? Why were the child and her parents at the beach? Why was Lara's spaceship thrown to the space area near the earth?

Lara's experience at the earth has begun.

Satoshi Hirokohji

粗筋

　これは少し昔のお話です。地球では西暦一九七七年。物語の主人公の少女ラーラは、銀河系の中心部のアトランタという惑星に住んでいます。アトランタにも、地球と同じように学校があり、仕事があって余暇もあり、休日には旅行にも出かけます。

　あるときラーラは、仲間と連れ立って宇宙ヨットレースに参加しました。レースは銀河系の中心部でおこなわれていましたが、航路標識の故障によって、ラーラたちの宇宙ヨットが、銀河系の辺境へはじき飛ばされてしまいました。すぐに遭難信号が送られ、救助が計画されました。ところが、三万光年もの距離があり、実際の救出までには九十日もの時間がかかってしまうのです。

　そこで、救助されるまでの長い日々をどう過ごすかを宇宙ヨット内で話し合います。ちょうどそばにあったのが、私たちの地球です。その自然環境や人間、社会の様子を調べたくなって、「地球表面に降りて、地球人の少年、少女と交流したい」とラーラが提案。アトランタの科学の力を使って、周りの人たちに地球人であるかのように錯覚させながら、ラーラは「外国人留学生」として、日本にある高校の一つを体験することになりました。

　さて、その日本の高校です。入学したばかりの鷹峯司郎のクラスで、「カナダからの交換留学生」の転入が紹介されました。名前はラーラ。司郎は、夏の一日、友人と四人で海水浴に出かけました。海岸で偶然会ったカナダからの交換留学生ラーラの誘いに乗り、五人は無人島の入り江でフリーダイビング。絶海の夕焼けを楽しみます。ところが、帰りの浜辺で少女らは暴漢に襲われ、司郎と樋口大輔が悪戦苦闘。暴走族の「送り狼」に、ラーラの怒りが爆発しました。

　暴漢らは何者なのか。浜辺で会った親子三人連れの目的は。またラーラの宇宙ヨットはなぜ地球のそばへはじきとばされたのか。ラーラの地球での体験が始まります。

主な登場人物

ラーラ・アマート　イアハート号のゲスト乗船者（「カナダからの」交換留学生）
ジョー　レーシングクルーザー・イアハート号船長
バーバラ　イアハート号甲板長
センタ　イアハート号甲板員
アドラー　位相空間レスキュー（深宇宙方面エクステンション担当）
鷹峯司郎（たかみね しろう）　高校一年生（器楽部員。剣道家）
大和田依子（おおわだ よりこ）　高校二年生
野々山織香（ののやま おりが）　高校一年生（早苗の親友。フルート吹き）
下里早苗（しもさと さなえ）　高校一年生（織香の親友。クラリネット吹き）
樋口大輔（ひぐち だいすけ）　高校一年生（司郎の同級生。剣道家）
デリック　マリーナの黒服・サングラスの男

蝶ネクタイの男と謎の暴漢たち
ほか

プロローグ　アクシデント

彼らは宇宙ヨットに乗っている。宇宙空間をクルーズ（航海）して競争をするボートなので、クルージングレーサーと呼ばれている。颯爽としたものだ。ただし、その宇宙ヨットは年代物の中古品である。

「これは、遭難信号を発信したほうがいいいな。何しろ僕たちは、標識信号を見失っているものね」とジョー船長が言った。

宇宙ヨットレースは、海のかわりに宇宙空間を競争する。その競争は、通常の宇宙空間ではなく超空間を使っておこなわれる。超空間とは、通常の空間をGチューブと呼ばれる四次元以上の高次元空間に自然に張り巡らされているトンネル網のようなものだ。普通の宇宙空間では物体の最高速度は光速だが、超空間Gチューブを使えば最大速度一光速という制約を受けない。通常の三次元空間よりも高次の次元が隣り合って、見えないトンネルが無数に存在している状態だ。

普通の宇宙空間とGチューブは、地上で言うなら一般道と高速道路のようなものだと考えてもらっていい。ただし、「高速道路上での自動車の速度は、一般道のそれの二、三倍程度」だが、「Gチューブ内での宇宙船の速度は、普通の宇宙空間のそれの数十兆倍」だという関係になる。

アトランタなど銀河中央の世界では、宇宙ヨットレースはもちろん、ほかの普通の宇宙船も、光速の制限を受けない超高（光）速空間を使って飛行する。そういったなかでのレースの醍醐味は、ほぼ無数に選べる経路から、どのGチューブを使って経由地をたどるかが、船長に任されているところにある。またその船長を支え、クルー（乗組員）が緻密に連係して機敏な操船を進めていくことができるかにレースの面白さが表れるものだ。

「ちょっと待ってよ。標識信号を見失っている、ですって？　あたしたちの速度は何パーセクなの？　だいたいその速度計に数字が出てないいじゃない」（パーセクは約三・二五九光年）

とラーラが高い声を上げた。

「うん、この速度計は、ついたりつかなかったりするんだ」

とジョー船長が答えた。

「なんですって。スピードメーターがつぶれているの?!」

「うん、そういう船なんだ」

「いまどこにいるかもわからないじゃないの。だって、SPSも消灯したままよ」

と言いながら、ラーラーは一つのモニターを指さした。SPSはスペースナビゲーター。GPSの宇宙版だ。

「うーん。そういうこともある船なんだ」

とジョー船長が適当に答えると、ラーラがさらに問い詰めた。

「「うーん」、じゃないでしょ、「そういう船なんだ」、じゃないでしょう。あたしたちの命がかかってると思うけど？」

舵（操舵桿）を手にするジョー船長にくってかかるラーラの背中に、甲板長（ボースン）として操船全体のマネージャーの役割を果たしているバーバラが声をかけた。

「あのね。命は大丈夫。遭難時にわたしたちの船を救助してもらうための保険は、みんなの会費から払ってあるわ」

「その救助隊があたしたちをどうやって見つけられるかが問題なのよ。そうでしょ?!」

息巻くラーラにまたジョー船長が答えた。

「そうそう。だからいま遭難信号の「メーデー」を発信したんだ」

「メーデー…。「われ遭難せり」ね」

うなずいた彼女は一瞬ののちに、ハッと顔を上げて言った。丁寧語になっている。

「ええっ?! キャプテン。あたしたち遭難したんですか？」

尋ねられた相手は、船長、このボートのキャプテンを務めるジョーである。ジョーが答えた。

「「メーデー」を発していることがすなわち遭難だものね」

ジョーは偉そうに続けた。

「バーバラ。ラーラに少し説明してあげて」

バーバラが口を開く前にラーラが前置きした。

「いいわ。わかったわよ。でも、三つ知りたいことがあるわ、バーバラ」

「どうぞ、ラーラ。ただ、ジブセールをトリミングするのはやめないでね」

「あ、はい」

そう答えたラーラは、ジブシートを握り直しながら尋ねた。

宇宙ヨットの前方にあるジブセールは、アンテナのように超空間を流れる無数のビーコンを受け止めて推進方向を決定するために役立っている。ジブシートは、そのジブセールをコントロールする索具（引き手）だ。

「スピードメーターもなくて、ＳＰＳ（四次元測位システム）も動いてないのに、どうやって現在地を知ることができるの？」

「先に三つとも聞く？　それとも、一つずつ返事したほうがいいですか？」

「バーバラ…？」

長い髪を風になびかせながら振り返ったラーラが、わざとらしくほほ笑むと、語尾を上げて言った。

「ジョーでもいいわ。どうか、あたしを小学生と思って、一つずつ、わかりやすく簡単に教えてください」

丁寧なことに、ウインクまで付いていたものだから、同性のバーバラだが気をよくして説明を始めた。

「それはね。Ｇチューブから出てみれば、各方位の恒星系を肉眼でも実測できるから、航宙チャート（星系図）に照らし合わせればわかるんです」

実際の作業は船の機械がするのだが。

「つまり、Ｇチューブに入って航行している間は外の宇宙が見えないけれど、Ｇチューブを出れば周りの星が見える。だから、チャートに当てはめれば自分たちの位置がわかる、というのね？」

「正解です」

とバーバラ。

「そんな当てずっぽうな乗り方ってサイテーなんじゃないの？」

「あははは…」

船首から戻ってきたセンタが笑い声を上げた。

「何がおかしいの?!」

ラーラはセンタの笑い声に憤慨した。その憤慨する顔はチャーミングかもしれない、とジョーもセンタも、そしてバーバラも思った。ただ、そうは言っても、彼女の怒りをまともに受けたくはないのだが。

「このあたりの星系だと、たいていどこでGチューブを出ても、だいたい自分の位置はわかるものなんだ」

センタが答えた。

例えば船が、琵琶湖のような湖上で帆走するのと、外洋で何日も航海するのとでは、計器への頼り方がずいぶん異なる。そもそも後者は、船舶の乗員にとって四囲のすべてが大洋であるのに対して、前者では周りの岸が見えているのである。「勘」というものにより頼りやすい。計器のなかに作動していないものがあるからといって、航行がまったくできなくなるというものではない、ということをセンタはにおわせたかったのだが。どこまで通じたかは不明だった。

同じレースといってもカーレースを考えてみる。プロの場合にもアマチュアの場合にも言えるのだが、いわゆる「走り屋」は、回転計に表示される回転数ｒｐｍを見なくても最良の変速タイミングをつかめるものなのだ。アクセルを踏み込む感触、エンジンの回転音をひろう研ぎ澄まされた聴力、地面へのタイヤグリップまたはドリフトの感触、風景を読み取る動体視力を総動員して一瞬一瞬を判断しながら、右足アクセル、左足クラッチ、左手シフトレバー、右手ステアリングを慎重かつ大胆、そして歯切れよく操作する瞬時の連係を編み上げていく。二輪なら、必要かつ最低限のブレーキングを加える右つま先とレバーにかかる右手中指、薬指、小指。微妙にアクセルを開け閉めする右手親指と人さし指、それに連動する左手クラッチ、上達すればクラッチを使わない左つま先シフトアップ、それらが織りなす瞬間加速や減速の積み重ね。それらは計器からの情報に基づいて始まるものではない。各種計器というものは、おこなった操作が正しい結果をもたらしているかを確認するために備えられているものである。

センタは、「速度計がなければ操船ができないというものではない」「ＳＰＳがなければ舵が取れないというものではさらさらない」ということを「簡単な言葉で」ラーラに伝えようとしたのである。

「ふーん。なんか不安な返事だなあ」

そう言うラーラにバーバラが次を促した。

「三つあると言った質問のうちの、二つ目は何なの、ラーラ」

「えっと、何だっけ。忘れちゃったかなあ」

「だから、はじめに言ったでしょう？　先に三つとも質問を出しておく、って」

「あ、思い出した」

ラーラが二問目を尋ねた。

「二つ目はね。超空間内に流れるビーコンをとらえていないのに、どうして遭難信号がレスキューに届くのか、ってことよ」

バーバラが返事をした。

「電磁波、って知ってるよね。目に見えない電波が情報を光速で伝えてくれる。空間に電界、磁界が交互に励起されて、エネルギーは距離の二乗に反比例して弱まりながら伝達されていくのよね」

「そうなの？」

とさらに尋ねるラーラ。ラーラが話についてきていないのではないかという疑念がバーバラの頭に浮かんだが、とりあえず言いきった。

「そうなの。遭難信号はじめGチューブ内でのシグナルは波動として、電磁波のように距離によって減衰することなく連綿と伝達されていく。その超空間のあらゆる波動から意味あるシグナルは必ずレスキューがつかまえるから、問題ないわ」

「ん？　問題があるように思うけどなあ…」

ラーラが、本人は意識しないが聞く側ではキュートにすぎる声でそう答えた。そのとき、四人がいるデッキにアラームが鳴り響いた。

「何なの、これは？」

ラーラの質問に、船長のジョーが答える。

「おいでなすった。星間レスキューの非常呼び出し信号だ」

船外からの通信の声が響く。

「こちらは位相空間レスキューのアドラーです。遭難信号を受信しました」

軽やかで滑らかな女性の声だ。ジョーが答える。

「こちらはセールナンバー七二三五六七・B・三三〇六。セーリング・クルーザー、イアハート号の船長を務めるジョーです」

イアハート号というのはアトランタでの伝説的な女性飛行士の名前をもらったものだ。

「了解しました。イアハート号。この通信は、特設波動回路を通じて、契約されている保険が保証される範囲でおこなわれています。はじめにあなたの生年月日と姓名、住所を教えてください」

そこでラーラが叫んだ。

「なによ、この人。そんなこと後回しにして、真っ先にあたしたちの命をどう助けてくれるのか言ってよ」

「ラーラ、これは必要なやりとりなの。まあ、あなたの声もわたしの声も先方のアドラーさんには届いていないんだけど」

甲板長バーバラがラーラをたしなめた…。たしなめた？　いや、そんな上からの調子ではない。説明をラーラがのみ込んでくれればそれに越したことはないし、そうでなくてもそれはかまわないしとがめ立てはしませんよ、というういつもの態度だ。

「どうして？　どうしてジョーの声は届いて、あたしの声は向こうに聞こえないの？」

「一つの理由は声紋さ。保険契約のときにジョーの声紋はジョーのお父さんのものと一緒に保険会社に登録されていて、星間レスキューはその声紋情報に合致する音声だけを拾い上げてるんだ。契約者以外からの情報には取り合わないってことだね。何しろ、遭難信号はGチューブ内を流れてないときはないほどたくさんの数なんだ」

当時の地球社会では、人が死に至る交通事故が起こっていない時間など探しても見つけることができなかった。それに似ているかもしれない。

「さっさと肝心な話に入ってほしいのに」

「そうだね」

とセンタが相槌を打った。

ジョーの声が答えている。

「ＳＤ一九九八二年十月三十二日生まれ。氏名、ジョー・キッザトゥーマ。住所、三四七六－五五七五、スィシキューナ、クルーセント通り、東区、エルモード、アトランタ、です」

先方の声が続く。

「ジョー、了解しました。生年月日、姓名、住所を確認しました」

ジョーが答えた「一九九八二年」というのも、「桁数が多すぎる」わけではない。地球の西暦とは異なるアトランタでの年号だ。

少しだけアトランタの人々と地球人との体形を比べてみる。くしくも彼らの腕も足も二本ずつ。

指は片手と片足に五本ずつ。頭は一つで肩の上に乗り、頭頂からは髪が生えているし、ほとんどが地球人の姿とてもよく似たスタイルをしている。

彼らは、心臓をもち脈拍もあって、その回数も思考する速度も私たちに近く、誤差の範囲でしか懸隔を認められない。つまり、ありがたいことに地球人にそっくりだということだ。

彼らの惑星、アトランタの直径は、アトランタ自身を含めいくつかの惑星を従える母なる恒星の直径を約百等分したスケールである。同恒星からアトランタまでの距離は、地球の単位でいえば約八光分。アトランタの表面の五分の四は水で覆われていて、その周囲は地球の単位でいえば約八分の一光秒。つまり、地球とはよく似た大きさであることから、惑星での生物の進化にも、よく似た辿り着きがあったものと考えられる。地球上の哺乳類イルカと魚類サメとが、置かれた同様の環境の下で、種の起源を別系列としても外形にはきわめて類似した点を認めることができるように、異なる星系にありながら、アトランタと地球に生まれついたそれぞれの人間は外見的にも思考回路もたいへんよく似た者同士だったのだった。ただし、アトランタのほうは、火を使い、文字を操り始めてからの時間が、地球の八倍程度だったのである。

もちろん言語は日本語に翻訳し、名前はアトランタの発音に近い地球上の名前を使っている。

船長のジョーと星間レスキューとの間での交信が続いている。

「あなたの契約は、通話時間無制限です。遭難信号には、あなたの保険情報は入っていますが、あなたのボートのGチューブ内位相座標情報が波動に記録されていません。つまり、こちらではあなたの船の位置をつかむことができません」

「すみません。四次元測位システム—SPSナビが故障してるんです」

「それはまずいですね。交信できても実在座標がつかめなければ、救出の段取りを立てることができない。メーデーシグナルの着信と同時に、オートポジショニングが並行してあなたを探索していますが、検算に要する時間を含めると通常二千二百時間が必要です。何か代案はありますか？」

「一度超空間Gチューブを出て、通常空間で三次元測位しようと考えています」

「三次元空間からでは光速でしか通信できませんよ。アトランタから銀河首都トランターの通信だって赤ちゃんが大学生になるまでかかってしまう」

「うーん。困ったな、そのとおりですね。では通常空間で三次元測位してからもう一度Gチューブに戻って再度遭難信号を打とうと思います」

「わかりました。それではその再信号を、お待ちします。それでは、記録を残してこの交信を終わることになりますが、いま話し合ったことのすべてが、本日のレスキュー全天ログに記録されます。次回遭難信号をこちらが受信するときは、同じ係の誰か別の者がすべてを引き継いでお話を伺います」

「ありがとうございます」

あーあ、これなんだよな。まったくシステムってやつは、とジョー船長は思った。

「あなたの宇宙ヨット、イアハート号のレスキューとのいちばん早い再交信は、いったんチューブを出たクルーザーがまたチューブに戻れたとき、または三次元測位情報を読み込ませた遭難信号再発信用の無人探査体をチューブ内に放つことができたときですね。頑張ってください。最後に、それらができないときのことですが、あなたの航星保険は、最終的に、現在探査中のイアハート号の座標情報、そこから割り出す三次元測位情報に基づいて私たち位相空間レスキューがあなたたちを正常にビーコンで誘導するか、接触・救出することまでを保証しています。ただし、その最終作業が開始できるのは、オートポジショニング探索活動が終了するときですから、早くて二千百九十九時間後だということをお忘れなく」

「二十四時間が一日…二千四百時間が百日だから、それって、だいたい九十日後のことじゃないの！」

とラーラが叫んだ。

「わかりました。頑張ります」

とジョーが言う。

「それでは健闘を祈念しています。位相空間レスキューのアドラーでした。グッドラック。アウト」

「アウト」

ジョーの終了のひと声で、交信が終わった。

そのとき、甲板長のバーバラが尋ねた。

「ラーラ。質問は三つあるって言ったわね。三つ目は何？」

「そ、れ、は、ね。いまや救出までに最長九十日もかかるかもしれないのに、あたしたちには十分な水や空気や食べ物やエネルギーがあるのか、ってことよ」

「えっ?! しまった！」

と愕然とした顔つきをするセンタ。それを聞いて、ラーラは長い髪を翻して振り返り、驚愕のまなざしとともに両手のひらを胸の前に組み合わせてセンタを見上げる。そのラーラへ、バーバラが笑いながら言った。

「その心配はないわ」

センタも笑い声になって補足した。

「ごめんね、ラーラ。この船が備蓄している、意外においしい糧食や水や空気は年単位で十分あるんだ」

からかわれたことに気づいたラーラが叫んだ。

「センタ！　あなたのことは許さないわ！　あたしがたまたま知らないことに付け込んで、いまの脅かしはハラスメントだったと訴えてやるわ」

「帰還後にね」

とバーバラ。続いて船長のジョーが、

「帰還できたらね」

と冗談めかして言うのを聞いて、ラーラは宣言した。

「あなたたち男子は全員、一生許しません！」

「待って待って。僕はまったくラーラを脅かしてないよ？」

ジョーがそうあらがおうとしたが、

「一緒です！」

と喝を加えるラーラだった。

それを聞いたジョーが、センタに向かって片目をつぶってから、全員に向かって叫んだ。

「さあ、Gチューブを出るぞー。機走（帆走をやめて動力で飛行すること）に入る。ジブ、ダウン！メインセール、ダウン！　みんなデッキ左右のセンターへ寄れ。それぞれシートベルトを締めて。いくぞ。ジェット、ファイヤ！」

エンジンが起動する衝撃があって、クルーザーが機走を始めた。

「やっぱり、この機走に比べると、セーリングのほうが気持ちいいわね。セーリングを知ったら、急ぐときは別だけど、機走はいやだわ」

「ううーん。そうですねえ。そこがセーリングの面白さ、ですよね」

「元来のセーリングって、水上で風でヨットを操るのでしょ？　そちらも楽しそう」

ラーラに続けて甲板長のバーバラが言う。

「ええ。湖上、洋上のセーリングは楽しいですよ。でも、Gチューブセーリングほどの距離は走らないです。いまわたしたちは、三次元空間に直せば何光年の距離を競ってるのですからね。Gチューブのなかを、無限のパターンで縦横無尽に流れている高次元宇宙気流を読んでそれを推力にして、これもまた無数に張り巡らされたビーコンをとらえながら超高速飛行する。もちろん、機走の速度にはかなわないのだけど、セーリングのダイナミックさ面白さは、機走の何十倍です。水上での航海と比べても、それぞれのよさがありますね」

「ふーん。ところで、そもそもの質問なんだけど」

と言いだしたラーラに、みんなが目を向けた。

「あたしたちはどうして、遭難しちゃったの？　そんな危険なことをしていたの？」

センタがそのあとを言い継いでジョーに話しかけた。

「確かに、どうしてだったのですか？」

数秒待ってもジョーが答えないので、バーバラまでが促した。

「わたしも疑問なんですよ。どうして遭難してしまったのですか。スキッパー（操舵手）としてはどう思いますか？」

考える面持ちでジョーが答えた。

「船に。この舵に癖があるんだ」

「何なの？　その癖って」

「癖っていうのかな。進行方向に何か定まった指向性があるんだよ」

「どんな指向性ですか？」

「そちらのほうへ引っ張られていくような」

「それは変ですね」

「三次元空間では天体へ万有引力で引き付けられるだろう？　そんなふうに、舵が一定の方向に指向性をもっているように感じるんだ」

「Gチューブ内ではそれはおかしいですね。僕たちは四次元セーリング、位相空間を自由落下してるんだから、三次元重力の影響を受けてるはずはない」

「うん。重力じゃないんだ。このクルーザーの前の持ち主は格安で譲ってくれたけど、あの人は何か特別な目的で三次元空間をかなり広範囲にトレックしてた。何かの調査だったのかな？」

「そのころの目的地への指向性が、このクルーザーのＡＩが選んでいるチャートから完全に消去されきってないのかもしれないな」

「ＡＩ」は、イアハート号が積み込んでいるきわめて優れたコンピューターと考えられる。

「このイアハートの前の持ち主は女性だったんでしょ？」

「うん。何かの学位をもった研究者でお金持ちの冒険家だ」

「いま電話してみたら？」

「クルーザーが緊急時用にセットしているメーデーコール以外には、Ｇチューブ内を波動通信する機能ははたらかない。つまり、いま電話はできないよ」

「それは残念。三次元空間に出たら、せいぜい光速での通信になるから、エネルギーがあったとしても、きっと通話には何年もかかっちゃうわね。あきらめるしかないか」

「さ、Ｇチューブを出るぞ。あと一分」

「待って。いま、ビーコンをとらえてなくて、チューブの外がどうなっているかを確認できないんでしょ？　外に出たときそこに障害物があったら、以前海で潜水艦が浮上したときに高校生の実修船を沈没させて人がたくさん亡くなった事件があったけど、それみたいなことになるんじゃ…」

「大丈夫。もし三次元空間に何かがいたら、あるいは何か天体があったら、先行するプローブがそれを観測して実体化する前に僕たちをチューブ内に逆送する命令をするか、物体と離れた場所での実体化を調整してくれるよ」

「天体に接触するか、その天体に三次元航行できる距離に実体化する確率は？」

「何億分の一だね」

「そうなの」

「さあ、ジャンプするぞ。三、二、一！」

ジョーのかけ声とともにクルーザー・イアハートは、先行するプローブに続いて三次元宇宙に実体化した。同時に三次元での自由落下に入ったため、加速度がかからない四人の身体はシートベルトの緩みの範囲内で無重力化した。

「三次元座標測位開始。プローブ回収。再射出用意」

「ビューアー、オープン！」

デッキを覆う天蓋が開いていく。そう目には映るが、実際には外宇宙と船内とを仕切っている外壁はそのままだ。クルーザーの船体は宇宙塵程度の障害物の飛来に耐える構造である。デッキにいるクルーたちの目にだけ、天井が開いていくように画像が投影されているのだ。

「ルームランプ、オフ」

船内が暗くなる。

「まあ！　きれい！　背中側を見て。青い天体」

何億分の一、の低い実現可能性が的中してしまった。青い星が美しく細いクレセントを見せる白い天体を伴っている。ジョーたちの天井の半分を、全面が白い雲で覆われ、その切れ目から青く輝く表面を見せる天体が占めていた。その天体の光がクルーザーのデッキを満たす。

「きれいだわ！　あたしたち、アトランタへ帰れたのね！　ジョー、ありがとう」

「残念だけど、それは違うな」

「うん。確かに大きさも明るさも、それに大きな衛星をもっているのもアトランタにそっくりだ。でも周りを見て。ほかの恒星の数が少なすぎる。肉眼では正面に一万個ほどしか見えていないよ、きっと。十二万個くらいなくちゃアトランタの星系じゃない」

「じゃ、どこなの？」

「星系の情報が出たよ」

「ワオ！　これは、かなり銀河の果てよねえ。アトランタまでは一万三千パーセク（一パーセクは三・二六五九光年）ある。光通信すると片道が四万年。あー、わたしたちの銀河内でよかったあ。でも、こんなところまできた人はいないいんじゃないかなあ」

バーバラが、ビューアー壁面手前の空間に浮かぶ、銀河の描かれた立体模型、そのなかでのアトランタを含む恒星系の位置、また現在の自分たちがいる場所を示して点滅する光を見ながら言った。

「オーケー。三次元測位はできた。それじゃ、これを持ってチューブに戻るぞ。そしてもう一度遭難信号だ」

「アイアイサー、キャプテン」

「ああ、でも、なんてきれいな景色。こんな星に、こんな惑星に住んでいる人がいるなら、素晴らしいわ。うらやましい」

「アトランタだってきれいだぜ」

とセンタが言った。

「そうね。でもここは本当にきれい。帰りたくないくらい。一度降り立ってみたいくらいだわ」

とラーラが言った。そして、それは実現してしまうことになった。

クルーザーは、三次元空間からGチューブ超空間への脱出速度を得られなかった。主な理由はエネルギーの不足である。セールを広げて宇宙線エネルギーを蓄積することに時間を費やさなければならない、という結論だった。その期間は、やはり九十日前後を要する見込みだ。

プローブも機能不良で射出命令に従わなかった。何が問題なのか、船長のジョーにも解明できない。見た目には不良個所などは見当たらず、手はずも順調なのである。見えない工学的な仕組みに不足があるのか。はたまた、考えられないことだが、プローブの演算機能が、したがってクルーザーのAIが、人知れずストライキを起こしているのか。

「AIがストライキ？　それは考えられないなあ」

とセンタが笑って言った。

「AIは第一に、人間の命を守らなければならないし、第二に、人間の命を守ることを大前提に人間の命令に従わなければならない。そのうえではじめて第三に、自分の身を守らなければならないんだよ。その機構に手を加えることは違法だし、設計上も組み立て上もありえない。いまAIが動いていて、クルーザーを運営してくれてるってことが、AIが裏切ってない証拠だと言っていいね」

「それとも、クルーザーが、もっと大切な何かをあたしたちにさせようとしているのかしら」

「命を危険にさらして、ってことかい？」

センタが言った。

「そんなことはありえない」

「センタ、あなたは機械文明への信頼があついのね」

とラーラが揶揄した。割り込んで、船長のジョーが言った。

「もうよせよ。それよりも大切なことは、僕たちが最大、九十日をここで過ごさなきゃならない、ってことだ…」

「そして、その間にわたしたちは何をしていればいいか、ってことね」

とバーバラが言った。

「その何をするか、のなかに、目の前のこの天体をどうするか、がありますね。軌道から観察するのか、降り立って探検するのか」

「降り立つためにはかなりの推力がいるよ。帰りの分もいるからね。さっきはGチューブへの突入を失敗したけど、この恒星系からの脱出速度が確保できるのか、もっと言えば、目の前のこの惑星から脱出する速度を確保する力が僕たちにあるか、が論点だね」

センタが疑わしそうに言った。

「ジョー、どうなの」

「うん。あのね。速度計はなぜか直ってるんだ」

「何ですって？」

「いま、僕たちは時速四万リーグでこの惑星を周回してる。一周が六十五分ほどだ」

一リーグは地球でのおよそ一キロに相当する。

「それは、ほとんどこの惑星からの脱出速度だね」

とセンタ。ジョーが答える。

「うん。ほんのもうひと吹かしで惑星脱出は簡単なんだ。きっとこの恒星系脱出もできる。ところが、Gチューブへの再突入速度が出せない。セーブがかかっているような気がしてならないんだよ」

「う〜ん。本当にどうしてなのか、わからない」

「でも、ジョーが言ってることって、あたしたちが惑星の表面へ降りても、また昇ってこられる、ってことなんでしょ？」

「いや、そんなことまだ言ってない。でも付け加えれば、エネルギー蓄積後にはたぶんそれもできる」

それらの言葉を、センタが引き取った。

「だけど、クルーザーがまたいつ気持ちを変えて、惑星脱出速度を出さなくなるかもしれないんじゃないのかな」

「それはないでしょう」

と、甲板長のバーバラが口を挟む。

「そんなことを言いだしたら、いまこの瞬間にもクルーザーがエンジンを逆噴射して、惑星に墜落してしまうかもしれない、ってことじゃないの」

「ま、それはないよね。自由落下中にわざわざ勝手な逆噴射をかけて墜落、自殺するなんて。しかも人間が同乗しているのに、ＡＩがそんなことをするなんてありえない」

とセンタ。

「それに、どうせ最大九十日後にはレスキューが見つけてくれるんだから、「これ以上落ちる」ことがない惑星表面にいくのがいいと思うわ」

「なんと、うれしいことに、この惑星の大気は僕たちにも呼吸ができる。それからね。記録がヒットしたのだけど、ほんの二千年ほど以前にこの惑星へは探索がおこなわれているんだよ」

「オーケー。考えるべきことはたくさんあるが、この軌道上で下界のことを最低限観測したうえで、「これ以上落ちない」ところにいくとしよう。実はＡＩがもう適当な接水ポイントをいくつか提案してくれてるんだ」

「了解。じゃいってみよう」

こうして、即席探検隊は西暦一九七七年の地球へ降り立つことを決定した。

1　名もないくん登場

鷹峯司郎は、入学したばかりの平凡な高校一年生である。彼には何か特別なところがあるだろうか。つまり個性だ。そもそも個性がない人はいない。鷹峰司郎にも何らかの個性があるはずである。

外見から入ろう。身長・体重は、中肉中背。髪は普通に短髪にして前髪は七三分けで額に自然に垂らしている。目にまでは届かない。うなじは刈り上げていない。視力はいいほうなので、メガネはかけていない。そうそう。コンタクトレンズはこの年代に地球の市民社会にはまだ出回り始めたばかりだった。まだなかったもの、といえば、スマートフォンを含め携帯電話はもちろんない。もっといえばパソコンもない。電卓さえない。司郎が住んでいる地方にだけなかったわけではない。世界中にまだなかった。いや、アメリカ合衆国でこのころの日本円に換算すると八万六千円あまりで電子卓上計算機の普及が始まっていたそうである。

四十年以上も前の世界がいまとどれだけ違っていたかなど、言い始めると本当に切りがない。例えば、コピー機もなかった。印刷はガリ版、謄写版というものがあって、鑢（やすり）の上に蠟原紙を敷いて鉄筆で文字を書いた。その行為を「切る」と呼んだし、上手な文字を「切る」人を「A級カッター」とスラングで呼ぶこともあった。

いやいや、いけない。本当に話が前に進まない。鷹峯司郎くんのことを書いているのに、あらゆる方面に話が飛んでしまう。総論的な紹介はやめよう。話が進むなかで鷹峯くんのことを知ってほしい。彼は性格が明るいのか、暗いのか。慎重派なのか、おっちょこちょいなのか。リーダーシップというものがあるのか、ないのか。異性から関心をもたれるほうなのか。食べ物や飲み物は何が好きか、映画を観るか、日本語以外の言語に興味があるか、スポーツは何を経験したか、ほかにどんな趣味があるのか、など。

鷹峯司郎が入学した高校の校舎の多くは木造だった。そのなかの真新しい鉄筋コンクリート増築部分に一年生の教室があった。教室を占める生徒の半数以上は、司郎も卒業した、通りを隔てて隣り合う中学校の出身者たちだった。高校がこの地方の交通の要衝で文化行事の中心地にあったことから、ほかの中学出身生徒は周囲の地域から、電車、バス、自転車を利用して登下校していた。

司郎の学年は、男女がほぼ半数ずつを占めていた。そのなかには、司郎にとって「機会さえあれば親しくなれるとうれしいだろう」と思える女子生徒が何人もいた。男子生徒のなかには、いずれは親しくなりたい、と司郎が思う男はいなかったのか…。そんなことは意識していなかったのである。男の友達はできればもつが、できなければそれだけのことだった。いや、実態をいえば、司郎には既に男の友人はあり、男との強い友情を熱望する必要がなかっただけのことだった。つまり、彼は女子生徒に対しては敬意と恭順をもって接することを原則としたが、男子生徒に対しては配慮を特別にすることはなかったのだった。もっともこれは、司郎だけのこととは言えなかっただろう。

同性に対してと同じではなく女性に対しては特別の心配りをするべきだ、と認識していた男子生徒は、少なからずいた。しかし全員ではなかった。女子生徒も異性に対する感覚としてはほぼ同様の考え方、というのがこの学校の生徒気質だった。もっとよく考えれば、それはこの学校に限ることでもなかったに相違ない。当時、「同性に対するとは違う深い配慮が異性に対しては必要である」と認識する青年や少女が一定の割合で存在していた、というだけのことかもしれない。

さて、鷹峯司郎はその日、六限の授業を終えて帰路にあった。司郎の家は高校からたいへん近い。司郎の居住区は交通の要衝でもあったし、文化的に地域の中心といえる街中でもあった。したがって、登下校の交通手段は彼の場合、徒歩だった。高校の西隣にある中学、その西隣にある小学校、その南隣にある幼稚園、そのさらに南隣にある保育園。それらの学び舎を逆順に、いつも徒歩で登下校して、司郎は過ごしてきたのだった。

たまたま、小学校以上の、どの学校でも、各教室の教壇と黒板は教室の西端にあった。つまりどの学校でも、生徒は西方を向いて授業の聴講を重ね、教員は東方を向いて指導を繰り返したのだった。

司郎が高校の西門を出て、中学の東門との間の道を南に向かい、中学の角を右折して歩くと左手に文具店があった。司郎は文房具を求めてその店に入った。初夏を迎えようという季節であるのになぜだか、入り口全面ガラスの引き戸が閉まっていた。ガラス戸とはいえ、北向きで西日を受けているせいで、表戸が閉まっていると店内の様子が外からは判明しにくかった。

「こんにちは」

と言いながら司郎が文具店に入ると、店内には店員以外に一人の女子高校生がいた。制服で司郎と同じ高校とわかる。「制服からわかる」というのは、司郎が知らない生徒だということである。司郎と同学年の生徒は約四百人いる。そのうち二百人ほどが女子生徒だ。女子生徒のうち百人前後は同じ中学を卒業したので、名前まで知らなくても顔はわかる。ほかの生徒の顔はわからないこともあるが、司郎は、その落ち着き具合や物腰の慣れ具合などからこの人はきっと二年生だ、と感じた。それからやや近づいて、決定的な根拠を認めた。彼女が二年生に特有の薄茶色のスリッパを履いていたからだ。ちなみに、司郎ら一年生のスリッパは濃紺色だ。

その女子生徒は、アクセサリー風の飾り付きペンが並ぶガラスケースの前に立って見入っていた。

四十年後だったら、携帯ストラップが所狭しと吊るされているようなスペースだ。

彼女は司郎を見て

「こんにちは」

と声をかけた。

上級生が、いかにも初々しく見える一年生男子を、ある面では優しく学園に迎え入れるお姉さんとして、ほかの面では男子新入生に対して興味をもつ先輩・姉貴格が当然になすべきこととして、声をかけてみたのだろう。かわいい男子一年生よ、よくきたね、と。

この女子生徒が「姉貴格」を身にまとっている事柄の一つには、その学校外の文具店へ、スリッパ履きのまま「外出」していた事実をあげることができる。原則として、この高校では、登校時に靴箱でスリッパに履き替えたら、下校するか、途中外出するまでは、同じスリッパを履き続けることが求められている。スリッパを履いたまま外出している、ということは、たまに「やんちゃ」や「わんぱく」ぶりを発揮する生徒の間で見られるものであるが、その多くの場合は、職員にとがめられても、「ごめんなさーい」でことなきを得てしまう。逆に言えば、それだけ校則に違背するか否か、いわばスレスレの日常生活を苦としてはいない…むしろ楽しんでいる様子…ブラックリストなるものがあるとしても、そこに名を連ねられることをまったく気にしない…ばかりかそれを高校生活上で得られる栄誉の一つと考えているらしいことを見て取ることができる。その例の一つが上履きでの外出だ。彼女はその行為を通じて自身の鷹揚さ…すなわち「姉御ぶり」を醸し出していた。何かの背景をもっている人なのかもしれない…。そういう何かを、司郎は感じ取ったのだった。

「こ、こんにちは」

と司郎は挨拶を返した。なぜ、ここで彼はわざわざ「こ、こんにちは」と挨拶の言葉を噛んでしまうようなことをしたのか。少しずつ説明することになるが、このあたりはやや微妙な問題である。司郎は小・中学生の時代からほぼ全学年を通じて毎年よく学芸会、学習発表会、文化祭などの演劇の舞台に乗り、重要な役を務めた。小説の朗読などは周囲からは彼が得意中の得意とするところだろうと見られているくらいで、本来なら、そのようなミスは決して起こらないのである。それをなぜわざとつっかえたりしたのか。それは、先輩女子生徒にアドバンテージを送ったものだった。人によってはそのような気遣いは迷惑にもなるだろう。しかし、この姉君(あねぎみ)に対しては、「いい心配り」として通用しそうだった。

「一年生?」

女子生徒が言った。

「あ、はい。そうです…」

司郎は、いつもの、はきはきとして切れ上がりがいい声というよりは、少しおどおどとして自信なさげな声を出すことに成功した。女子生徒の心中に、母的、姉的な保護欲求を生じさせようとしたのだ。

「何か探してるの?」

司郎は、英語筆記体書き取り用の大学ノートを買おうとしていた。

「あ、はい。ノートなんです」

「うん、うん。ごめん、じゃましちゃったね」

「いいえ、ちっともかまいません。僕こそ、そのう、先輩のじゃましちゃって…」

司郎がそう言うのを聞いて、二年生の女子生徒は声を上げて笑った。

「あははは…」

笑いながら彼女は言った。

「きみって、面白いねえ」

「え?」

と声を上げて、司郎は、どうして面白いのですか?僕が、という表情を彼女に向けた。

「あははは…」

まだ笑い続けながら、二年生は言った。

「あたしはきみの「先輩」なの? あははは…」

いま自分は「先輩」と言った。それは男子生徒の間の言葉であって、女子生徒に対しては使わないものなのだろうか。司郎は即座にはわからないが、しかし、この場のムードからして上級生が自分をばかにしたわけではないだろう、と判断した。

「きみは、クラブとか、もう決めたの?」

「いえ、まだです」

後日、司郎は中学から続けていた器楽のクラブに入部した。また、中学のときにそうだったように、高校生になったいまも剣道部顧問の勧めもあって、普段は練習や立ち合いに参加し、合宿にも出席した。ただし、卒業するまでの三年間、公式の剣道試合には出場しなかったのだった。

「「先輩」は、何というクラブに入ってるんですか？」

そう司郎がきくと、意地悪そうに、上級生が尋ね返した。

「何だと思う？」

司郎が答えた。

「えっと、ですね、書道部ですか？」

「あははは…」

女子生徒はまた笑い声を上げた。

「どうしてそこで、書道部を思いついたの？　あはははは…」

「そんな気がしました」

「あー、面白い。きみって、何て名前なの？」

そう尋ねられたら何と返事をするのがよりクールなのだろう…、そう思っているうちに司郎の口はこう語っていた。

「あ、僕は…、僕は、名もない者です」

「あははは…。そうなの？　きみは「名もない」くん、なのね？」

「あ、ごめんなさい。僕の名前が「ナモナイ」、ではないのです」

「あははは…。いいわ。あたしは、依子。大和田依子よ」

「あの、僕の名前はですね…」

言いかけた司郎の言葉を大和田依子がさえぎった。

「いいの！　いいのよ、名もないくん！　いま、きみが別の名前を言っても、あたしはきっと覚えられないわ。でも、きみが「名乗って」くれた「名もないくん」という名前はとてもよく覚えられた。うふふふ…」

司郎が依子の顔をしげしげと見つめる。

「あたしの顔に、何かついてる？」

司郎が言い淀んでいると、依子がかぶせて言った。

「だめよ。瞳が二つ、とか、お鼻がついてる、とか言っちゃ。うふふふ…」

そうして、依子は、ほっそりしたボールペンと傍らに並んだ大学ノートを取り上げると、レジをすませてから司郎を振り向いて言った。

「はい。このノート。差し上げます」

差し出された紙袋に、司郎がまさにこんなノートがほしいと考えていた大学ノートが入っている。

「え？　どうして…？」

さらに、趣味のいいボールペンを司郎のブレザーの胸ポケットに差しながら依子が言った。

「どうして、ノートがほしいとわかったのか、って？」

そう尋ねながら、依子は司郎の首に両腕を回すと一瞬背伸びして、その右頬を司郎の右頬に触れさせて、腕をほどいた。

「名もないくん。とっても楽しかったわ」

目を丸くする司郎に、依子は重ねてささやいた。

「高校生のご挨拶よ」

依子は、司郎に向かって右目だけをつぶると、身を翻して、肩までの髪が水平に広がって、スカートの裾が遠心力で広がるのも気にせず店の戸を開けると、鹿がギャロップするように高校の西門に向かって駆けていった。

司郎は、そのしぐさに衝撃的な驚きを感じた。そのまま店を出た司郎の鼻腔には、嗅いだことがないステキな香りが残っていたし、司郎の右頬には、とても柔らかですべすべした、何の化粧もしていない少女の頬の感触が、司郎の胸には細身のボールペンが、司郎の耳奥には「高校生のご挨拶」という鈴を転がすような上級生の声が残った。

司郎にとって、このときのことは、高校新入生としての、また生涯にわたっての記憶のひとつになったのだった。

2 誰かいませんか

こちらは、やはり同じ高校の一年生。だが、今度は女子生徒が二人。一人は、野々山織香。「ののやまおりが」と読む。進取の気鋭。「織香」の名は、最高学府在籍中には日本文学を専攻した母が名づけたものらしい。もう一人は、下里早苗。

二人は中学の途中から同じクラスになり、「見かけるたびに一緒にいる」「何もかもが一緒」と周りからは思われている。その二人からしたら、お互い、確かに「仲がいい友達」と思い合ってはいるが、その実、「周りから言われるほど、何もかもが一緒っていうわけじゃないのよ」とも感じている。例えば、親も違えば住所も違う。通学用バッグのメーカーも違うし、ソックスの色も許されている黒か白をいつも示し合わせたりはしていない。缶ペンと言われているペンケースだって同じじゃない。髪の長さだって、織香が肩まであるのに比べて早苗はボブにカットしている。織香はカチューシャを付けるのが大好きだが、早苗は付けたこともない。…一緒ではないのである。

しかし、周りが言うように、同じこともかなりたくさんある。例えば、休憩時間にお手洗いへはよく一緒にいく。下校時もたいてい南の正門から自転車を並べて一緒にこぎ去っていく。多くの場合は早苗が、前を走るが。

下里早苗が、父親の仕事の都合で中学二年生の二学期から転校してきたので、この二人の出会ってからの歴史は間もなく二年。学校外ではあるが偶然に同じ水泳教室に通ったことも、二人を結ぶいいきっかけになったらしい。

織香と早苗は同じ高校へ進学して、同じ器楽のクラブに入部した。授業の内容や将来の進路について話題にすることもあれば、ともに恋への憧れについて語り合うことも、中学時代に比べると多くなっていた。

その月曜日の放課後も、織香と早苗はどうしても恋の話題に入っていかざるをえなかった。前日の日曜日に二人は二本立ての映画を観てきた。両方ともリバイバルで、一作は『サウンド・オブ・

ミュージック』。もう一作は『シベールの日曜日』。

「ねーえ、よかったね。映画、またいこうね」

「うん、うん。小学校のころはこの街にも映画館がいくつもあったのよね」

「えーっ？　そうなの？」

「そうなのよ。駅前に、いつも東映のヤクザ映画がかかっている映画館があったし。器楽部部長のおうちがお店だけど、その向かい側にも」

「えーっ？　井坂部長のおうち？　たしかおもちゃ屋さんだった」

「そうよ。その向かいが映画館だったの。いまはお布団屋さんに変わったけど」

「そうなのー」

「聞いた話よ。映画館の親せきの子どもがあたしたちと同い年なんだけど、その子とよく遊んであげてたから、井坂部長は、おうちの向かいの映画館には、いつも無料で入れてたんだって」

「そうなの。高倉健さんはカッコイイと思うけど、子どもと遊んであげたご褒美がヤクザ映画だったら、どうかなあ」

「織香はやくざ映画好き？」

「嫌い」

「あたしも嫌い」

「でも、「春休み東映映画祭り」とかのシーズンなら、井坂先輩、アニメーションも無料で観られたんだと思うわ」

二人はしばらくの間、そのテーマで話し、『白蛇伝』や『太陽の王子ホルスの大冒険』を観たことなども話題にした。ひとしきりそれらの話題が続いたところで、ようやく、前日鑑賞した映画の話に至ったのである。その日、二人は約束して朝から待ち合わせ、四十分もバスに揺られてより大きな隣町へ出かけたのだった。

「『シベールの日曜日』よかったねー」

「本当。よかったわ。あんなことって、あるのね」

「うーん。本当にあるのかな」

「フランスのことだものね」

「それで、フランソワ。本当にかわいくてきれいだわ」

「パトリシア・ゴッジね。あたしたちより十も年上なんだって」

「見えないわ。本当にかわいい」

「映画だものね。お化粧だって演出だってあるんだものね」

「映画だっていいでしょ?! パトリシアはもとだってかわいいんだよ!」

早苗が少し口をとがらせた。

「あ、ごめんなさい。早苗、怒ってる?」

「怒ってなんかないわよ」

そう答えながらも早苗の口調は変わらない。

「そういえば、早苗。あなた少しパトリシアに似てるわ。映画でフランソワが大きい目でピエールを見つめている。あの表情、そっくりよ」

早苗の頬が緩んだ。

「えぇーっ？　うっそー。あたしがパトリシア・ゴッジに？　絶対、似てないわ。それより織香こそ、マリア役のジュリー・アンドリュースに似てるかも。顔は織香のほうが彼女よりも断然きれいだけど。二人とも歌うまいし、おちゃめなところがいいわ」

「早苗ったら」

褒め合う二人だが、演技力はともかく、容姿の端麗さだけでいえば、織香も早苗もこの女優たちにまったく劣らないのである。

「いいわねー。あらためて思うわ。『シベールの日曜日』本当によかったわー」

「そうよね。あたしもそう思う。『サウンド・オブ・ミュージック』が希望に満ちて明日に向かった終わり方。それに対して『シベールの日曜日』は破滅的な結末だけど、強いショックを受けたし、いとおしさ、…それに悲しみかな。胸の奥に残ったわ」

「そう、そう。そうなのよ。ピエールはフランソワを本当に愛していた。二人が会い始めたのは、寂しさだけがきっかけじゃなかったと思うわ」

「そうね。でもあたしは、フランソワこそずっと年上のピエールを愛してたと思う。その深い思いが、映画が終わっても心に残るのよ」

「そういえばそうね。よかったー、ってあたしに残っているのはピエールの思いじゃなくて、ピエールを思ったフランソワの愛なの」

「そう、そう。そうなんだわ」

二人は、ほかに誰もいない教室で隣り合って机に肘を突き、手の甲に顎を乗せて空中の一点を見つめていた。しばらくその状態で時間が流れたあとで、早苗が言った。

「そうそう。それでね。映画は映画として、あたしたちにはあんなすてきなことは起こらないのかしら」

「起こらないわ」

と答えきる織香だ。

「あなた、あっさりしてるわね。こんなに感動することなのよ。あたしたちには起こらないって、寂しいじゃないの」

「だって、あれは映画でしょ」

「それはそうだけど…」

「映画は映画。あたしたちはあたしたちよ」

「うん…」

「映画と同じことが起こるなんて考えちゃだめ。あたしたちなりにことを構えなきゃ」

「ことを構える、って？」

「だから、あたしたちなりに男子のことを考えてみるのよ」

「そう、そのとおり！　あたしはそういうことを言いたかったの！」

「早苗！　声が大きいわ。誰か男子が聞いてたらどうする？」

「あ、ごめんなさい」

と、早苗は急にボリュームを落として謝って言った。

「その声ならいいわ。男子に聞かれては困るんだけど、男子の話はしておかなくちゃね」

「それで、どういうことなの、それって」

「どういうこと、って、気にかかる男子に声をかけるとか、誘ってみるとか、打ち明けるとかでしょ？」

「わかったわ。それじゃ、あたしたちが、受け身じゃなくて、行動する相談ね？」

「そうそう」

「じゃ、早苗、告白ね？」

「ううん。いきなり告白、って、いまそんな感じじゃないんだなあ」

「じゃ、どんな感じなのよ」

「だから、そういうことに至る前に、男子と話したりどこかにいったり、とかしてみてもいいんじゃないかな、って、ね」

「男子と話なんか、毎日してるじゃないの」

「そうじゃなくて！」

また早苗の顔が険しくなった。

「ごめん、ごめん。怒んないで。わかったわ。わかったから」

「本当にわかったの？」

「うん、わかった。わかった」

「本当にわかったのなら、「わかった」は、一回でいい！」

「はい。わかりました」

少しおどけて言う織香の言葉に、

「よろしい」

と早苗が機嫌を直した。

「じゃ、誰かを誘いましょう。グループ交際、ね」

「織香、それって、夢がない台詞だわ」

「はい、はい。あ、はい、も一回でいいわね。ごめん、ごめん。…ごめん、も一回」

「もういいわよ」

「で、誰を誘いましょう。好きな男の子、っているの、早苗」

「いるわよ」

「誰？」

「織香はどうなの？　誰が好きなの？」

「うーん。言おうかなあ。恥ずかしいなあ。どうしようかなあ」

「いいわよ。言わなくても。大切なことは、自分の胸に大事にしまっておかなくちゃ、ね」

「そうね。それじゃ、好きかどうかは別として、唐突だけど、同じ器楽部の鷹峯くんはどう？」

「鷹峯くんなら誘いやすくていいね」

「もう一人はどうする？　こちらは二人でしょ？　男子も二人がいいんじゃない？」

「うーん。そっかー。どうしたらいいのかな」

「浮かばないわ」

「っていうより…」

と、早苗が、少し意気込んで言いはじめた。

「あたしたち女子二人は友達同士だけど、男子だって、仲がいい同士がいいんじゃないかな。あたしたちが二人の男子を決めても、その二人がお互いにそんなに仲がいいわけじゃなかったら、つまらないことにならない？」

「そうね。じゃ、もう一人は鷹峯くんに決めてもらったらいいのね」

「ちょっと待って。もし鷹峯くんに好きな女子がいて、あたしたちだけと出かけるなんてつまらない、と思ったら、どうする？」

「そうかどうか確かめて、もし好きな女子がいたら、鷹峯くんは、やめる？」

「あ、やめないでいいと思う。だって、鷹峯くんが思っている女子がいるかどうかなんて、確かめようがないでしょ？　それに鷹峯くんは、その人をおいてあたしたち女子二人とどこかにいくことがいやなことなのかどうかなんて、もっとわからないわ」

「そうね。だから、それを知るためにも、まず誘ってみましょうよ」

「それで、どこにいくか、だけど」

「夏だから」

「海…」

「…よね？」

「泳ぎましょうよ」

「賛成！」

二人はともに水泳が得意だ。また、知っている男子に学校のプールでの競泳着以外の水着姿を見てほしい、という思いも…なくはない。体形、スタイルのうえでも、強い不安はなかった。この街から三、四十分もバスに乗れば、にぎわうビーチはいくつもあるのである。

「じゃ、明日。鷹峯くんに話そうね」

「オッケー。早苗、あたしだけに任せたりしちゃいやだからね。一緒に。お願いね」

「そんなの、もちろんよ」

「じゃ、いこう」

「うん。帰り道の自転車、きょうはどっちが前にいく？」

自転車の前後の話である。

「きのう、あたしが前だったたから、きょうは早苗、先を走ってちょうだい？」

「いいわよ。じゃ、あたしが先ね」

通学用のバッグを携えると、織香は肩までのさらさらな髪を揺らせて、早苗は濃紺のプリーツスカートを膝上まで翻して教室を躍り出た。二人は昇降口のほうへ肩を並べて足早に歩いていった。

3　司郎、壁ドンされる

鷹峯司郎はパート練習を終え、三本のピストンをシリンダーから外して机に広げた布切れ（ウエス）にそれぞれ横たえ、その上からふんだんにオイルを差していた。場所は音楽室。きょうは全体の練習はない。夏のコンクールの課題曲が発表され、パートごとの楽譜も既に配られていたが、自由曲をアントニンの「新世界」にするか、グスターヴの「惑星」にするかは、井坂部長以下の三年生たちがスコアをにらみながら「検討中」なのである。そういうわけで、きょうはロング・トーンを練習して、自分なりに課題曲を攻めることになった。楽器ごとに「パート」と呼ばれるグループで示し合わせて曲を練習する部員らもあった。いずれにしても終了後は「自由解散」していいのだった。

司郎はトランペットを手入れしながら、音楽室の窓からグラウンドを眺めていた。グラウンドの中央部の広い部分を占領して野球部、サッカー部が練習しているが、四辺の端のほうではそれぞれに楽器を携えた器楽部員が思い思いにロング・トーンなど三々五々自主練習するという放課後のありふれた風景だった。向こうのほうから、一年生女子部員が二人、連れ立って音楽室へ帰ってくる。司郎は、三本のシリンダーの底、三枚のバルブケーシングを外して、ウエスとして使っているタオルの上に皿のように並べると、それぞれにもピストンオイルを注いだ。バルブケーシングは、円形のその中央に水抜き穴が空いているので、オイルは下のタオルに染み込んでいく。いま、音楽室大教室には司郎だけしかいない。接続する部室や、並行して隣接したパート練習室からは、それぞれを占領した楽器の音が漏れ出ている。

肩を並べて音楽室に戻ってくる二人の女子生徒は、それぞれにフルートとクラリネットを手にしている。二年生以上にも、司郎がきれいと思う先輩は何人もいる。が、一年生はどの女子もかわいい。でも、こういう「きれい」や「かわいい」などの表現は、口にするには危険が伴う、と司郎は普段から認識している。

不用意に誰か女子生徒に対して、きみは「きれいだ」などと言ってしまうと、相手は「告白された」と理解してしまいはしないだろうか。その前に、どう反応すればいいかがわからず、当該男子生徒に対して好意をもっているいないにかかわりなく、女子生徒は硬直してしまうのではないだろうか。おそらくいつまでも忘れないものであるだろうから、その女子との間では気まずい空気がいついつまでも続いてしまう。練習にも学校の勉強にも差し障ってしまうかもしれない。いや、それよりも何よりも、決してないだろうこととは思われるが万々一（つまり億分の一の確率で）その女子生徒がこちらに好意や関心をもってくれている場合は別として、圧倒的に多くの場合はこちらの心が見透かされて、弱みをさらけ出すばかりか、場合によってはさげすみの対象として、一生涯にわたってつらくも恥ずかしい日々が続いてしまうにちがいない。自ら言葉にしてまとめはしないが、司郎はそういった恐れおののきを普段から意識していたのだった。

その一年生の女子のうちでも、かなり際立って司郎が意識しているのがフルート奏者の野々山である。

司郎の頭のなかでは、女子生徒も男子生徒もほとんどの場合、ファーストネームではなく、姓によって峻別、認識されていた。

その野々山とクラリネット奏者の下里とが肩を並べて音楽室へ戻ってくる。司郎は楽器の手入れをしながら、ボーッと、特別な注意を向けるでもなくそれを目の端にとらえた。野々山は、きょうは早く上がろうと相談したのかな。もう一人の下里はまた、本校のなかでも特別にかわいいと言っていい一人だろう。彼女が少し日本人離れしたような顔立ちと思っているのは自分だけだろうか。

そんなことを男子の友人たちと話し合ったことはなかった。彼女らは二人とも司郎と同じ中学。西隣の中学校からこの高校へ進学してきた生徒らだ。下里は、たしか中学二年の途中、二学期からだっただろうか、保護者の仕事の都合で転校してきたのだったと思う。その仕事とは、貿易など国際的な取引などの実務を伴うものなのかもしれない。また下里の親戚にはどこかヨーロッパの民族の血も入っているのかもしれない。そんなチャンスがあるはずはないが、いつか尋ねてもみたいものだ。

司郎はパトリシア・ゴッジを知らなかった。女優の面影が下里早苗によく似たものであることも。

司郎がトランペットのケーシングを順次締め付け、ピストンの1から3を向きに注意しながら組み立てていると、二人の少女が音楽室大教室の一つの窓に外から近づいた。音楽室の南面の窓はやや高い。接近してきた二人は、まだ遠くにいたときはよく認められたが、教室のすぐ脇までくると見えなくなっていた。それが突然、窓枠下縁から、かわいくてにこやかな少女二人の顔がぴょこん、ぴょこんとのぞいたのである。

司郎は驚いた。が、その慌てたさまを彼女らに悟られまい、と、あたかもそれに気づかなかったかのように平静を装った。装ったつもりだが、悟られてしまったかもしれない。そんなどうでもいいことが司郎の頭のなかをめぐった。慌ててウエスの上に取り落としたバルブケーシングの一枚を平然としたそぶりでつまみ上げ、シリンダーの底へ取り付ける作業を続けた。「平然として続けた」つもりだったが、彼女らから見てそれは「平静に」映っただろうか、が気になった。

俺は窓に正対していない。窓脇でもなく、二人がけ机の、窓から二列目という教室の内側にいる。西向きなんだ。彼女らが窓から顔をのぞかせたことに、司郎が気づかなかったとしてもおかしいとは言えない。言えないはずだ。「気づいているのに気づかないふりをしている」などとは決して悟られていない。はずだ。

うふふふふ、と声に出さず笑ってから、織香は早苗に向かってささやいた。

「驚いてる、驚いてる」

「うん、慌ててる、慌ててる。かわいいねー」

司郎の耳には届かない。司郎には届かない所見が、女子生徒二人の間で無声音で交わされていた。

「鷹峯くん!」

今度は声帯を震わせ、有声音で織香が呼びかけた。

司郎は、おもむろに窓のほうに顔を上げた。いや、おもむろに上げたふりをした。

「鷹峯くん!」

と早苗も司郎に呼びかけた。

驚いた口調で司郎が応えた。

「きみたち、何してるの？　そんなところで」

織香が、左手にフルートを持って、それを音楽室の外壁にぶつけないよう気をつけながら、右手を右耳脇に上げ、四本の指を何度も折り曲げて招き猫のポーズを送った。合わせて早苗が、右手にクラリネットを持って、それを背中に回して背筋に沿わせた格好で、左手の招き猫ポーズをとった。

どうして、僕がこんなうれしい環境にいられるのだろうか。言葉にしないが、そういった意識が司郎を支配した。手早くトランペットを組み立て終わり、ケースに収納して蓋を閉じると、司郎は窓のほうへ立っていった。

口に出して言ったことはないが、司郎にとって織香は中学時代からもとても気にかかる生徒だ。デビューはこの翌年のことだが、いずれスクリーンデビューして大人気を博する薬師丸ひろ子が映画で露出したそぶりや容姿は、この窓の外に司郎が見下ろす織香に重なっていた。まぶしく映る織香の肩までの髪の一本一本。すっきりと伸びた眉。大きい瞳と長い睫毛。真っすぐに伸びた鼻筋と、その下にそっと開いた上下の薄い唇。その間にきれいに二列に並ぶ白い歯。練習中、ブレザーを脱いだその下に身に付けた真白いブラウス。襟に結ばれた清楚なボウタイ。小柄な身長に、掛け替えないパーツの一つひとつを、脅威を覚えるほどのち密さでそろえた女子。そのさまは、司郎が数日前にある寺院で見た額紫陽花（がくあじさい）に、ルーペを使いたくなるほど小さく精巧、精細な蕾（つぼみ）に見える無数の両性花が汚れなく並ぶ様子を思い出させた。

それらを思い浮かべながら司郎は織香らに近づいていく。窓際に寄ってきた司郎を見上げて、織香が言った。

「ねえ、鷹峯くん、ちょっとだけこちらに出てきてよ」

明るい声で司郎にそう呼びかける織香の隣では、早苗が、うんうん、とうなずいている。早苗を見ると、こちらは、少し西洋人風の顔つきで、こびることなく真っすぐな視線で司郎を見返している。なぜか、うれしい。

「ね。忙しいと思うけれど、お話はすぐに終わるから」

にこやかな織香だ。

やはりまた早苗が、うんうん、と明るい顔でうなずいている。

中学校で同級であっても、司郎は織香と早苗を詳しくは知らなかったし、ほとんど口をきいたこともなかった。早苗が中学生活の途中からの転入生だったこともその理由の一つだが、織香、早苗ともに中学生時代は学校の器楽部には所属していなかったことから、司郎とは接点には乏しかったのだ。逆に言えば、二人が高校生になってからこの部を始めたことが、司郎と会話を交わすきっかけになったのである。

司郎は楽器のケースを机上から椅子の上に下ろして、そこに置いたまま音楽室を出た。

音楽室は別棟になっているので、教室入り口までの屋外の道筋が飛び石状のコンクリートで舗装されていて、授業を受ける生徒たちは下足を用いずに上履きスリッパのままで来訪した。器楽クラブの生徒たちも普通、下校する用意をしてからクラブ活動する。その際には、自分の教室からスリッパを履いたまま音楽室とその周辺に来て練習などしたあと、学校全体の昇降口靴箱で下足に履き替えて帰宅していく。しかし、練習場所としてグラウンドを使ったり、練習前やその途中に校外の飲食店を利用したりしようとするときなどは、あらかじめ下足を携えて音楽室に来室した。

いま外にいた織香も早苗も革靴の格好だったが、司郎も靴に履き替えて二人が待つほうに向かった。

「ねえ、ねえ。こっち、こっち」

とフルートを手にした織香が言い、それに続いて早苗もクラリネットを持ったまま司郎の前を進んだ。

音楽室は校舎が並ぶ北東端にあった。グラウンドが音楽室を含む校舎の北側に広がっていた。反対にキャンパスと市街地を隔てる高校東端の塀の内側を南へ、織香と早苗は司郎を導いた。そのあたりは、いうならば「体育館裏へこい」という表現の体育館裏と同じ性格をもつスペースだった。つまり、「目立たない」が高校生らにとっては「大切」な区画だったのである。

教室棟の一階廊下東端に屋外へ出るための扉がある。その外には三段ばかりのコンクリート製の階段があった。もしその階段へ誰か二人の生徒が腰かけると、その場所は格好の『麦畑』的カプリング・スペース」になった。そこには、いくつかのうわさが残されていた。伝説的で英雄的な誰々という男子生徒は、男女を問わず誰もが美しいと認める何々という女子生徒とそこで唇を重ねたことがある、だとか、話の性格としてはまったく逆に、誰某と何某は、あとで決して文句を言わないという約束を取り交わしたうえ、そこで顔面を一発ずつ殴り合い、誰某は奥歯を折ったが何某は鼻梁を骨折してしまった、などという「謂われ」などである。司郎はそれらを初めて聞いたとき、前者の類いには興味を掻き立てられたが、後者については「それは武勇伝ではなくまったく滑稽な裏話」としか受け取ることができなかった。

その三段の階段の脇は、校舎平面図の短い辺、東端の壁面である。その壁際に司郎は導かれた。何が始まるというのだろう。この女子生徒たちは、いまから僕をシメ上げようとしているのだろうか。そうであるならば、その理由は何なのだろうか。

司郎がいぶかっているうちに、二人は司郎が校舎の壁を背に立つよう回り込んだ。二人の女子生徒は、やや司郎の顔を見上げて立っていた。織香は左手を肩に水平に開きその先にフルートを掲げて右手のひらを、早苗は右手の先にクラリネットを掲げて左手のひらを、それぞれに司郎の左肩左わき、右肩右脇、校舎の壁に突いて、いまで言う壁ドン、の格好をとっていたのである。もし、何も知らない生徒がこの情景を見たら、あるいはわけを知らない教員がこれを見かけたら、女子生徒二人がいたいけな男子生徒一人を脅すなりカツアゲ（恐喝）するなりしているシークエンスと採ったかもしれない。実はそれだけ、女子生徒二人が、あらぬ勇気を振り絞って臨んだことなのだった。

少なくともこの日は、司郎が、ではなくて、織香と早苗とが、司郎に向かって壁ドンしていた。その驚くような体勢は、実のところは、小声で司郎に伝えたいことがあったというだけのことだったのだが、その姿勢をとったまま、織香が言った。

「あのね、鷹峯くん。あたしたち二人で考えたんだけど、夏休みになったら、あなたと一緒に海にいこうと思うのね」

「そうそう。そうなのよ。あたしたちと海にいってほしいな」

と早苗が繰り返した。

何が始まるのかと警戒に近い気持ちを抱いていた司郎は、ある意味で拍子抜けした。同時に新しい疑念も湧いた。

「へ、へーえ。海にいって、何するの？」

と司郎が聞いた。

「遊ぶのよ」

「何して遊ぶの？」

「何って、それは海なんだから、水泳したり、ビーチで砂山作ったり」

と織香が言えば、

「かき氷を食べたり、ジュース飲んだり、焼きそば頼んだり、何だって楽しいでしょ？」

と早苗が続けた。

「ふーん。それって、もしかして冗談？　そんなことを言ったら僕がどんなことを答えるかを二人で賭けごとの材料にしてるとか…」

「鷹峯くん！」

織香が一瞬険しい顔つきをして、いままで司郎の左肩左脇の校舎壁に突いていた自分の右手で司郎の左上腕、力瘤のところをつかんだ。それを見て、早苗も左手を司郎の右上腕二頭筋の上に置いた。

そのとき、早苗が思わず漏らした言葉があった。

「鷹峯くん。鷹峯くんのここって、硬ったーい」

そう言う早苗を織香がにらんだ。同時に織香の右手は司郎の二の腕の硬さを試すかのように二、三度握力を加えたが、そもそも織香の手をいっぱいに開いても二十センチほどにしかならないため、司郎の上腕をつかみきれず、もみさすった程度で終わってしまった。その間に早苗は司郎の右上腕から自分の手を離して、今度はその左手で自分の右上腕をもんでみている。

「あたしなんか、こんなに柔らかいのに。男の人って、野蛮ねー」

と早苗が言った。

それを聞いて司郎は、早苗には男兄弟がいないのかな、と思った。司郎には逆に女きょうだいがいないのである。もっとも、それよりも早苗が言った言葉のほうが、より重みと衝撃があって感動的だった。男子生徒に感動を与えるためには力はいらない。彼を見て、男性的だな、と感じられたなら、それを率直に口にすればいい(…場合もある)のである。もちろん、このときの早苗は、そんな法則や計略にしたがって声を出したのではない。思わずのひと言だったにすぎない。

「いいから。鷹峯くん。あたしたちが言ってることは冗談じゃないわよ」

と織香。

「そうよ。本気なのよ。わかったの?」

と早苗。

「はい。冗談じゃあないって、よくわかりました」

司郎がそう言ったので、二人は司郎を壁ドンの束縛から解いた。

「それでね。そこへは、誰かお友達を一人連れてきてちょうだい？」

織香がそう言うので、司郎は聞いた。

「誰か特別に呼んでほしい人、って、いますか？」

織香が答えた。織香も早苗も態度が和んでいる。

「いいえ、特別に呼んでほしい人って、いないよ」

そう答えたあとで、織香はこう付け加えた。

「もちろん、鷹峯くんが誘いたい女の子がいたら、連れてきてちょうだい」

もちろん誰か男子を誘ってほしい…。でも、もし司郎に好きな女子がいたら…。いないほうがいいのだが、もしそうなら、ショックは早く受けておいたほうがいい、と思いついてのことだった。

「うんうん。鷹峯くんがお付き合いしてるとか、気に入っている人、連れてきてちょうだい。どんな女の子がくるか楽しみ。あたしたちが品定めしてあげるから、ね。それでいいでしょう？　どう？　それじゃ、だめ？」

と早苗から尋ねられて、司郎はとんちんかんな返事をしてしまう。

「いいえ、ちっともだめじゃないです」

「ふーん。じゃ、誰か女の子連れてこられるんだ」

「いや、こないかもしれません」

　正確には、「誰かいまから思いつく女子生徒に新しく声をかけて、もし奇跡的にも同意が得られた場合にはそれが実現するかもしれないけれど、そんな可能性はないに等しいから、僕が誰か女性を連れてくる可能性なんて、ほぼありません」と返事すべきところなのである。

もっと言えば、「そもそも誰か声をかけたい女子生徒がいるのだとしたら、それはきみたちのこと、とくに野々山織香さんとかのことであって、ほかに誰かなんて誰も何もないよ」と司郎は正義の観点から本心を表現すべきだったのである。

ところが、司郎の返事は、その思いを正確に表現したものではなかったので、織香と早苗、とくに織香は余計に落胆を覚えるところがあった。鷹峯くんには誰か気軽に声をかけられる女の子がいるのだけど、その女の子に聞いてみたら、彼女自身がその意思でいかないと言うかもしれない。彼はそう言ってるんだな。

でも、ま、いいか。彼は自分がいくのがいやだとは言ってないのだし、誰か女の子がくるのなら、その子ともお友達になっちゃえばいいんだもの、ね。

「オッケー。じゃ、男子でもいいけど、鷹峯くんは、誰かと一緒にきてね。あとはあたしたち二人だから、四人で海にいきましょう。それでいいでしょ?」

と早苗が念を押す。

「鷹峯くん、それでいいわよね?」

と織香も最後に釘を刺す。

「それで、それは何泊するの?」

織香が目を見開いた。早苗を見ると、彼女もそうである。それは、…考えていなかった。「お泊まり」かあ。そう織香が思っている間に早苗が返事した。

「そ、そんなの、日帰りに決まっているじゃないの。ねえ、織香？」

「あ。そ、そうよ。日帰りよ？」

と織香も早苗の答えに話を合わせて強く言った。

その二人のけんまくに司郎はうなずいた。

こうしてこの日の壁ドン事件は幕を閉じたのだった。

そしてちょうどそのころ、文芸部の部室を出、校地辺縁東南通り道の木陰を散策していた大和田依子という二年生が、「二人の女子生徒が一人の男子生徒を取り囲んで腕を押さえつけ、「殴りつけている」」場面を遠目に見とがめ、同時に心を騒がせたことについては、一年生三人の誰もが気づかなかった。

4　息もできない

「ねえ、ねえ、鷹峯くん。鷹峯くんは、この問題、どう思う？」

朝のＳＨＲ（ショート・ホーム・ルーム）を控えた黒板の前、教卓との間で、肩まで髪をたらした少女が鷹峯司郎の名を呼んだ。司郎には、教壇で四、五人のクラスメートが何やら板書しながら談笑しているのがわかっていた。自分は彼らが何かしていることを何も気にしていない…。実はとても気になるのだが、そう装っていただけだ。過日、今度の夏休みに出かけることを「約束させられて」以来（いや、実ははるかに以前からなのだが）気にかかっている女子生徒、野々山織香がそこにいることは知っていた。彼女の友人と彼女を取り巻く地位を死守せんとする男子たち数人だ。わざわざ、彼らが何をしているのかを確かめようとして、机が並ぶ最前列を下手から上手へ通り抜けようとしたのではない。と、自分に言い訳しながら特別に黒板のほうへ目を配ることもなく、司郎は教卓前を通り過ぎようとした。すると、「偶然にも」野々山が自分の名を呼ぶ声が聞こえてきたのである。

え？　何か用なの？というふうを装って鷹峯は教卓前に立ち止まり、顔を向けた。内心「ビンゴ！」と叫んでいることなどおくびにも出してはいけない。

「あのね。二つあるんだけど、一つはね。夏休みのクラス合宿の晩にキャンプファイヤーするか、花火大会するか、って相談をしてたのね」

織香の話を聞きながら、司郎の頭が回転する。クラス合宿？　何だ？それは。そうか、担任の加藤先生が言ってたな。この高校では、クラスの仲間意識を高めたり高校生活になじんだりすることなどを目標に、どのクラスも合宿をするんだったな。それも、高校キャンパスにあるセミナーハウスに泊まって。そして何だって？　キャンプファイヤー？　花火？　そんなことが学校の敷地内でできるのか？　いや、担任も一緒に宿泊するから大丈夫なのかな。ところで、織香たちがなぜそんなことを。あ、そうか。きっと彼女らはクラス内で作られた同じ班なんだ。それで相談してたんだな。取り巻きの男ども、と思っていたが、オフィシャルな班構成員だったのか。待てよ。そもそも班編成の際に、生徒間で何か特別な細工をしたり、横槍が入ったりした、ということはないのか。「〇〇さんと同じ班にしてくれ」などがまかり通っていたとか…。いや、それは考えすぎだろうなあ…。

　そのような感想が司郎の胸に去来しているとき、織香が司郎に言った。

「吉岡くんが「絶対、肝試しだ」って言うのよ」

「なあ、鷹峯。夏休み。クラスそろっての合宿だったら、肝試しだよな。ところで野々山、おまえどうして鷹峯にそれを聞くんだ？　俺たちの班で案を作ってホームルームで相談する段取りじゃないかよぉ」

と、織香が班長を務める班の吉岡という男子班員が言うと、織香がまた声を上げた。

「だってえ。肝試しって、怖いじゃないのよぉ」

　そう言いながら織香が背中から教壇を降りてきた。顔は黒板と吉岡という男子のほうを向いているので、背中が先に司郎に近づいてくる。

「この案のままだったら、ホームルームでは女子はみんな反対するわよ」

「そうよ、そうよ」

と同調する女子班員たち、

「ねーえ。そうでしょう」

　そう言う織香の背中が司郎に接近。司郎はそれを避ければいいのだが、やや呆然として、近づいてくる織香の髪を見つめている。だんだんに織香のとてもいい香りが鼻腔に届く。いや、本当にいい香りがしているのかどうかは彼にはわからない。そう司郎の心が決めているのである。もう司郎は息ができない。なぜかと言えば、自分、鷹峯司郎の吐いた息を織香が吸ってしまうようなことがあっては聖なる織香が汚されてしまうからだ。香りが接近する速度はゆるやかになった。しかし、まだ接近は止まっていない。だめだ、織香に近づいてはいけない。俺自身はいやな臭いがしてないだろうか。さらさらとして豊かな天使の輪が揺れる織香の後頭部、その髪に司郎の鼻が埋まりそうになる…。すごい。何だろう。とてもとてもいい香りがする。こんなことがあっていいのか。まだ動いている。俺が退くべきだ。しかし、俺は呼び止められたから止まっているのだ。ぶつかってくるのは織香のせいだ。俺は何も悪くない。いや、動くべきだ。どうする。

　そこで織香の背中が止まった。

「あ、ごめんなさい、鷹峯くん」

　織香が振り向いて司郎に謝る。司郎は慌てたふりをして一歩だけ退く。

「ほうら鷹峯くんだって、困ってるわよ」

「いや、とくに困ったりはしてないよ」

　ぶつかりそうになってくれてうれしいくらいだよ、と心中で言った司郎は、織香に聞き直した。

「僕の意見尋ねてくれてありがとう。それは僕がちょうど通りかかったから？」

　ばか野郎。そんなことは当たり前じゃないか、という顔を吉岡以下男子らが向けてきた。その司郎の問いには答えず、織香が訴えた。

「ね。鷹峯くんも、肝試しには反対でしょう？」

「鷹峯。おまえも肝試しには賛成だよな？　まあ、おまえがいま何と言おうと、それはホームルームへの提案内容を決定することとは直接には何の関係もないんだけどな」

と、吉岡が司郎を「肝試し賛成側」へ引き込もうとする。

「だめよ。反対よねえ。鷹峯くんは女子の気持ちがよくわかるんだから」

女子たちも、うん、うん、とうなずきながら鷹峯を見つめる。そこで司郎は、自然に考えるままのことを口に出した。

「女子の気持ちがよくわかるかどうかは知らないけど、肝試しは、やってもいいと思うなあ」

それを聞いて女子たちみんなが一瞬目をむく。

「鷹峯くん！」

「ただし、男子も女子も、一人だけで行動するのではなくて、複数でコースをたどることにしたらいいよ」

司郎がそう言うのを聞いて、吉岡が声を出した。

「鷹峯。…まあ、そうだな。肝試しの醍醐味は、一人で行動するところ、一人ぼっちの恐怖をどう乗り越えるかにあるんだけど、まあ、男子も女子も二、三人までの単位で行動するのでもいいことにするか」

自分を納得させるようなその声を、司郎が制した。

「いや、二人に限る。しかも、男女一人ずつの二人、だ」

一瞬の間があって、その場が急にくつろいだムードに傾いた。数秒後にはみんなが口々にしゃべりはじめ、華やいだ空気さえも漂う。

「えっ？　それじゃ、男女が二人一組になって行動するってことか、それって」

と男子が言えば、

「肝試しって、一人っきりじゃなくていいいのだったら、絶対反対でもないかなあ」

などとつぶやく女子もいる。

司郎のすぐ脇にいる班長の織香が言った。

「わかったわ。そういうことだったら、ホームルームにはそのように提案してみましょう。先生がどうおっしゃるかもよく聞いて」

「あのぉ、織香」

と、おそるおそるという調子で織香の友人、下里早苗が織香に話しかけた。

「なあに、早苗」

「あのね、もし肝試しすることになって、男女のペアで行動することにするのだったら、そのペアはどうやって選んだり、決めたりするの？」

その声を聞いた女子も男子も、みんなが司郎の顔を見つめる。それは、合宿の前日までに男女が申し込み合って自由に決めればいいのさ、と司郎が言いきってくれるのを待っている顔々だ。

この高校でおこなわれる例年の文化祭では、フィナーレがフォークダンスである。高校の伝統として、全生徒で踊るそのダンスには、割り当てられた相手とペアになるのではなく、自分たちで選び合った相手と踊りの列に加わっていかなければならないのである。誰が誰と組んでいるのか、どの人はどの人に好意を寄せていたのか、また相手がそれをよく受け入れたものだ、あるいは、あれは単なる義理だ、いや義理ばかりともいえないぞ、など、全校が注目する行事になっているのである。

悲しいことも起こる。バレンタインデーとは違って、「本命」が赤裸々になるのである。

「○○くんはあたしに声をかけてくれないと思ったら、あんな女と（ヒックヒック）」

写真部の生徒は、記録のためにそのダンスに入らない。残念がっている顔をするが、「争奪戦」に参加しなくていいことに安堵する部員もいるとか。

その「伝統」はずっと、うやうやしく守られてきていて、「髪形がくずれる」という生徒総会での声が校長を動かして制帽の廃止が実現した際にも、「フォークダンスで好みの相手を選ぶことはやめよう」という声は、どの生徒からも発せられず、むしろPTAの活発な保護者が反対することを避けるべく、職員と生徒は無言のうちに「団結」して「問題」が広がることがないように口をつぐむことに努めてきていたのだった。

司郎は言った。

「僕には特別な意見はないなあ。それこそホームルームに諮（はか）ってみたらどう？」

みんなが落胆したような表情になる。ここは鷹峯に「好きな人に申し込んで決めたらいい」と言いきってほしかった、という顔だろうか。いや、そこまではわからない。なぜって、クラスだけで企画する合宿である。クラス内の男女は、ほぼ同数なのだけれど、既にクラス外に彼氏とか彼女とか好きな人がいることだってあるだろうし、みんながみんな、好きな相手を決めることができるとはかぎらないのだから。

「いいわ。それじゃ、いま話し合ったことまでを次回のホームルームに提案することにしましょう」

織香がそう言って、その提案内容はまとまった。それを見た司郎が隣の織香に尋ねた。

「えっと、野々山さん。さっき、問題は二つある、って言ったよね。一つはクラス合宿の話で、もう一つは何だい？」

司郎がそう聞いたところでチャイムが鳴り、午後の授業時間の開始が知らされた。みんなが別れて自分の席に戻っていく。織香が、黒板に自分たちがした板書を消しながら早口で言った。

「鷹峯くん、よく覚えてたわねえ」

いいえ、どういたしまして。当然ですよ、と、司郎は内心で思ったが口には出さず、やや面倒そうな気分が顔つきに出ていてほしい、と思いながら、織香を見ていた。

「あのね、松本くんが遅刻した話から話題が広がって、朝八時と九時の間で、時計の長い針が短い針に重なるのは八時何分、って話になったのよ」

うん、うん、それで？という目をして司郎が待つ。

「ごめんなさい。時間がないし、この話、もういいわ」

そのとき、司郎の耳は、自分の胸にそんな勇気があったのか、と思える言葉が自分の口を突いて出ていくのを聞いていた。

「じゃ、六限のあとでまた聞くよ」

これまでに、何度、そういう言葉を軽々と野々山さんへ投げかけたかっただろう。でもなぜか言えなかった。どうして言えなかったのだろう。わからない。しかし、いまはとても自然に言えた。

よし、早速一限を「内職」して、「追いかけ算」を復習しておこう。そう思いながら織香を見ると、彼女は司郎に笑顔でうなずいて言った。

「じゃ、図書館でね」

その織香の言葉が、司郎の胸中に「校内デート？」という電飾された文字列を連想させた。

みんなが席に着いたところにクラス担任の加藤教諭が入室してきた。少し説明すると、チャイムが鳴って一分後に加藤教諭は一年一組の教室に到着した。そこで閉まりきっていなかった引き戸をガラガラッと開けて、予知していたとおり黒板拭きが落下してくるところを右足で蹴とばし、それを設置した張本人である松本の机上へシュートを決めてから、

「おはよう！」

と声を張り上げて教壇に立つと、生徒らから、

「おはようございます！」

の唱和が返った。続いて加藤教諭は、

「松本ぉーっ！」

と叫ぶと、生徒の松本が両手でキャッチした黒板拭きを持って立ち上がりながら、

「はいー！」

と返事をした。そこへ加藤教諭が付け加えた。

「…だよな？　松本、おまえだったよな、それを仕掛けたのは?!」

「え、えっと、そうなんですけど。よくおわかりで」

「ばか野郎！　この加藤様に「天誅を加える」ことにまで思い至るような面白い生徒は、おまえしかおらんわい！」

生徒らが爆笑するのと、黒板拭きを黒板に戻した松本が、頭をかきながらすごすご着席するのとが同時だった。

「さて、もうみんな気づいただろうが…」

と加藤教諭が言って、教室入り口のほうへ顔を向けたが、生徒はみんな、松本のゴールキーパーぶりに注目してしまい、そこにもう一人が立っていることに気づいていなかった。いや、気づいていたのは最前列右端席の一人の生徒だけだった。その彼女だけが目を見張ってそのもう一人を見つめていた。加藤教諭が顔を向けた先には、ブロンドの長い髪で身長百六十五センチほどの少女が、鞄を胸に抱いてたたずんでいたのである。

意識せず、生徒らから異口同音に、おー、のざわめきが上がった。

「どこの国からきた人なんだろう」

「言葉は通じるんだろうか」

などの声が洩れる。クラスは騒然としたムードに包まれた。

それがラーラだった。

実のところ、ラーラを初めて見るとき、地球人は一様にめまいを覚えた。幻覚または催眠状態を覚えさせる細工が、アトランタ人にされていたからだ。ラーラが漂わせる香りには、見る者の気持ちを上気させると同時に、細かい整合性が気にならなくなる作用があった。

「自己紹介しなさい」

教諭から呼ばれた少女は、教卓と黒板の間に立って生徒のみんなに向かってあいさつした。

「ミナサン、コンニチハ。ワタシノナマエハ、らーら・あまーと、トイイマス。かなだカラキマシタ。ウタガ、スキデス」

ラーラは、そのあとを英語でしゃべった。オンタリオ州トロントに近いバリーという街にあるイニスデール・セカンダリー・スクールというところから、年間の交換留学生としてこの高校へきた。加藤教諭の補足によると、県教育委員会が単位互換制（留学先の学校で取得した単位を母国の所属する学校で得たものと認定する制度）の留学プログラム第一号として認められた、ということだった。

いま、目の前にいるこの少女の容姿はすばらしく魅力的だった（と生徒たちは思い込まされた）。男子も女子も、ラーラ・アマートの姿に魅入られた。みなが、何かに打たれたような、衝撃を受けた顔つきである。生徒らが立ち直るのにしばらくの時間を要した。

「ラーラ、それじゃ、鷹峯の隣に座れ。おい、鷹峯、手を上げろ。ばか、片手だけでいい。鳩が豆鉄砲をくったような顔をするな。ラーラ、あの間抜け面の男の隣へかけなさい（司郎は顔を赤くして憤慨している）。下里もラーラを挟んで隣だな。下里、おまえは英語が少しできるから、よくしてあげてくれよ。鷹峯もコミュニケーションの力はあるほうだから、頼んだぞ。じゃ、みんな教科書を開け」

そう言って、加藤教諭は日本史の授業を始めた。

ラーラ・アマートが司郎と早苗の間の席に座った。

「ドウゾ、ヨロシク、オネガイシマス」
と言うラーラへ、司郎と早苗は左右から、
「こちらこそ、よろしくね」
と返事をした。見ると、早苗が右手をラーラへ差し出している。ラーラがその手を取った。すぐに振り向いたラーラが、その右手を司郎のほうへ差し出してくる。たいへんだ。差し出された手を取らないのは、とくに女性に対してはとても失礼な行為となる。きょうから憎しみをもたれるのか、仲良くしてもらうのか、そのどちらがいい、司郎。もちろん後者だ。司郎はおずおずとラーラの右手を握った。

瞬間、ラーラの驚くほど大きく澄んだ瞳と司郎の視線が交差した。交差というよりは、正面から見つめ合ってしまった。司郎の頭に電撃が走った。息も弾む。鼓動も高鳴る。めまいを覚える…ほどにきれいだ。引き込まれそうになる。同時にやや温度が低いその右手が司郎の右手のひらの奥深くまでをがっしりとつかまえ、想像よりもずっと大きな握力で握り締める。それはしびれを覚えるような二、三秒だったが、司郎は耐えた。もちろん、喜んで。

司郎が見ていると、早苗が机をラーラに寄せて、自分の教科書を開いて一緒に見入っている。そして、三言四言、小声だが英語で会話し、二人は教諭の声に聞き入ったようだった。

司郎の脳裏には、さっきのラーラからから差し出された白い手の印象と、彼女から握り締められた握手の余韻だけが残っていた。

5　荷台に縛られて

六限が終わり、図書館の対面朗読室で司郎がメモを作りながら待っていると野々山織香がやってきた。それが、司郎の期待に反して一人ではなかったのである。

なあんだ、織香だけじゃないのか。司郎は意気消沈した。

三人の女子生徒だ。一人は織香、一人は下里早苗、そしてもう一人はあのラーラ・アマートだった。仲良しオリガ・サナエのチームにラーラも編入されたらしい。

その三人が六人がけの狭い部屋へ入ってきたとき、なぜか司郎は少しめまいがしたように思え、座った席のテーブルに両肘を突いた。少し息が弾んだ。しかし、その気分はすぐに晴れた。

いまのあれは何だったのだろう。昨夜の寝不足か。それともきれいな女子が三人でやってきたことが胸を詰まらせたのか。ま、いいか。織香と二人にならなかったのは残念だけど、織香にキャンセルされるよりも、きれいな女子が二人多いのだから、ずっと「受け入れやすい」「環境変化」だ。

そう自分を納得させた司郎だった。織香が言った。

「鷹峰くん、お待たせしてごめんなさい。ラーラをね、校内案内してあげようと思うのよ」

えーっ?!　それって、加藤教諭に言いつけられて、昼休みにもうしたじゃないか。なぜそれが司郎の気にかかるかというと、織香の口調が「鷹峯くんも一緒に案内してあげましょうよ」にきわめて近いニュアンスを伴っていたからだ。

けさ遅刻してきた松本のことから話が広がって、時計の針はいつ重なるのかと織香が司郎に尋ねた。というのも、司郎は数学が好きだ、ということを彼女が知っていたのがその理由だ。「これは織香にいいところを見せるチャンス」とばかりに、ある種の期待に胸をふくらませて、放課後図書館で待機していた司郎だったのである。

「僕も一緒にいくのかな？」

と、司郎は念のために尋ねてみた。

「昼休みに僕たち三人でいった。あれでは足りないの？」

「それは足りないわよ。ねえ、織香？」

「あたしは昼休みには一緒じゃなかったからよくわからないけど、きょうきたばっかりのラーラさんにとっては、まだ全然知らないに等しいんじゃないかな…」

そのとき、ラーラが織香の言葉をさえぎった。

「おりがサン、らーら、ト、ヨンデクダサイ」

そのあとが英語になった。

「あなたも自分をオリガと呼び捨てて、って言ったでしょう？　あたしのこともラーラと呼び捨ててください。それに、きょう一日でこの学校のすべての場所にいくって無理だわ。この人、ええっと…」

とラーラが詰まると、早苗が英語で説明を加えた。

「彼の名前は、シロー・タカミネです」

早苗が日本語で司郎へも相槌を求める。

「もちろん鷹峯くんも、ラーラからはシロー、と呼び捨てられていいわよね？　どう？」

「いいよ、もちろん。この人にそう言ってよ」

「ばかねえ。自分で言いなさいよ？」

「アノ…、意味ワカリマス。しろー、デイイデスネ？」

そう、ラーラが日本語で言うので、司郎は思い切って英語で答えた。

「もちろん、いいです。僕をシロー、と呼んでください」

「オーケー。じゃ、シロー。あたしはラーラ、と呼んでくださいね」

「はい。ラーラ。それで、あなたの母国語は何ですか？　英語ですか？　フランス語ですか？」

早苗が、聞くべきところがよくわかってるわね、と感心した表情で司郎を見てくれている。

「あたしの母国語は英語よ。でも祖母がフランスからカナダへ渡ったのでフランス語も話すわ」

「ありがとう」

「ソウ、ソウ、ソレデデスネ」

と、ラーラの言葉に日本語が少し交じる。

「オリガ。シローと約束があったのでしょう？　それをじゃましちゃいけないわ。最優先してちょうだい？　あたしはまた明日からも案内をお願いするから」

なんて気が利くんだ、このラーラという留学生は。

そう司郎が感じたとき、織香が言った。

「そうですか？　それでは、鷹峯さんと約束したとおりにしよう、と思います。こちらのサナエも一緒しますが、よかったら、ラーラもどうですか？　時間はあるわよね？」

こうなったら、司郎にとっては、案内でも、勉強会でも、織香一人が相手でも、ラーラ、早苗が加わっても、どうなっても「大歓迎」だ。そういう気持ちに、だんだん彼は支配されてきた。

「じゃ、お話聞かせてもらおうかな。あたしはできるだけ早く日本語に慣れたいってこともあるし」

これらのやりとりのなかで司郎が理解できたのは、早苗たちが言うことのほぼ全部とラーラが言うことの半分程度だった。しかし、およその筋道は理解できた。…はずだと司郎は自分に言いきかせた。

「それじゃ、みんなでタカミネくんの話、聞きましょうよ。サナエもいいでしょ？」

「ええ。もちろんいいわ。あたしもあの話、聞きたかったのよ」

「でも、ちょっと待って、野々山さん、下里さん」

と司郎が日本語で口を挟んだ。それを聞いて織香、早苗が顔を見合わせた。ラーラが首を傾げる。

織香、早苗はラーラのその様子を見た。司郎が日本語で言った。

「あのね。けさの話をするのはいいけど、英語では無理だよ？」

「うーん。そうねえ。急には無理だよねえ」

と早苗が日本語で言ったあと、ラーラに英語で確かめる。

「イイデスヨ」

とラーラの日本語。続けて英語で、

「頑張って聞いてみます。寝入ってしまったらごめんなさいね」

ウインクしてそう言うラーラの声に日本人三人が笑った。

「それから、ラーラ、さっき、何か不思議だった？　こんなふうにしてたでしょ？」

と言って、早苗が首を傾げて見せた。

「ナゼ、シローハ、ノーノヤーマ・サン、シーモサート・サン、ト、イイマスカ？」

ラーラとの間では、織香、早苗はお互いがファーストネームで呼び合おう、と言っていたのに、日本人同士の間でファミリーネームに敬称を付けて呼び合うのはおかしいのではないか、という指摘である。日本人三人は顔を見合わせた。

「これは、いままでの習慣だもの」

と日本語でつぶやく織香に、早苗も日本語で言った。

「織香。いいじゃないの。あたしたち二人だったら、サナエ、オリガ、なんだから、鷹峯くんも、ラーラのいる仲間のうちでは、頑張ってファーストネームで呼び合ってみましょうよ？　これからの時代のことだから。もう二十一世紀まで四半世紀を切ったのよ。その先取りの気持ちで。どう？」

「二十一世紀まであとたったの二十と三年かあ。うん。わかった。それで、日本語で話すときも？」

と司郎が聞くと、

「もちろん、日本語でも、よ。ね、織香？」

と早苗が言った。

「いいでしょ？　シローも」

と少したどたどしく英語で言う織香。その織香が顔を少し赤らめているのを見て、司郎も英語を使った。

「わかりました」

そう答える司郎にも、何かこれから冒険の旅に挑むような新鮮な気持ちが起こって、悪い感情はなかった。

司郎は、かなり勇気を振り絞って三人の女子生徒のファーストネームを口に出した。司郎の顔も赤らむ。

「じゃ、そうしよう、オリガ、サナエ、ララ？」

一連のやりとりがほぼ日本語だったためラーラだけはこの内容には付いてきていない。そのため、自分の名前が日本語の間に並べられたのを聞いて、彼女はけげんな面持ちで司郎を見つめた。見つめてくるラーラの目を見て、その睫毛の長さに司郎は内心、驚いた。

ラーラのいぶかしがる様子を見たからか、

「Okay, Lara. Then, we would like to call each other by first names」

と織香が言うと、

「You call each other by a first name mutually」

とラーラが答えて四人は笑い合った。司郎の笑いが、かなりぎこちないものだったことも付け加えておく。

「じゃ、シロー」

やはり顔を赤らめながら思い切った調子で織香が言った。

「朝に話した、八時と九時の間で、時計の長い針が短い針に重なるのは八時何分か、説明してくださいな」

早苗も、何度もうなずきながら、司郎を見つめていた。

「わかりました。日本語で申し訳ないけど、できるだけ簡単にやってみます」

司郎がそう言って、対面朗読室に設置された移動黒板（ホワイトボードというものはまだ普及していない）の真ん中に大きな円を手描きして、時計の文字盤に見立てた。早苗と織香がラーラを挟み、たどたどしい英語で説明しようと努力している。まず大切なことは、司郎がしようとしていることの意味なのだが、何が問題であるか、の部分は、何とかラーラものみ込んだようだ。

「すごく簡単に言うとね。時計では長針がいつも短針を追いかけている」

「追いついて追い越しちゃうわよね？　その追いついたときが両方の針が重なるとき、ってこと？」

「そのとおりだよ。もし十五キロ離れた隣の町まで、平均時速三十キロで走ったら、何時間かかる？　オリガ？」

時計の絵の脇に、一本線の道と車の絵を描き加えながら司郎が織香に問いかけた。

算数や数学が大嫌いで、一生自分の人生とは関係ないもの、と信じている人は、男女を問わずいるものだ。往々にして織香はそれを言いそうになる。司郎はときどき、「それは残念なことだなあ。面白いのに」と引き留めようとする。織香としては、「じゃ、時間あるときに教えてね」とかわそうとする。今日は、ラーラの「校内案内」の手段を用いてもかわしきれず、この「司郎攻勢」を正面から受け止めることになった織香だった。

ただ、織香の名誉のためにひと言。彼女の数学のテスト成績は悪くない。実はほかの科目でも彼女は優秀だ。点数だけを見れば、常に高得点をキープする。そのカギは高い記憶力にある。

ここでは、「問題にどうアプローチすればいいのか」「どういう思いつきが楽しい解き方を導き出すのか」について司郎の話を聞いてみようと思った織香なのだった。

「ええっとお…」

「Thirty minutes」

と早苗が答えた。

「計算式は?」

と司郎。

「えぇっ?! 式ですって? 待って。えっとね、えっとね…」

と早苗が言うと、今度は織香が答えた。

「それは、十五キロ、割る、三十キロ、イコール、〇・五だから、一時間の半分の三十分なのよね」

「そうだよ。そのとおりです」

「シロー。あなたの目、「よくそんなことで高校入試に合格できたな」ってあたしをばかにしてるでしょ?」

「してない！　してない！　あのね。ばかにしてないし、大丈夫なんだよ。一つひとつ確認していくことが大切なんだ。だから「そのとおりです」と言いました。オーケー?　そこで次にこれだと、どう?」

司郎がチョークを鳴らしながら黒板に、もう一本の道ともう一台の自動車の絵を描き加える。

「高速道路を、前の道路清掃車が時速五十キロで走っている。十キロ離れた後ろを乗用車が時速百キロで追いかけている。道路清掃車に自家用車は何時間で追いつくでしょう?　サナエ?」

「んとね、んーとね。…隣町までの距離がわからないから、さっきの問題とはちょっと違うわよね」

「ちょっと違うけど、距離を速度で割ったら、所要時間がわかる。六十キロの距離を時速六十キロで走れば一時間かかるよね。それは、六十キロを毎時六十キロで割ったから一時間という結果が出た。この問題の場合、距離は…」

「十キロ?」と早苗が不安そうに尋ねながら答える。

「そう、十キロ後ろから乗用車が清掃車を追いかけてるんだよね」

「そこが問題なのよ」

と今度は織香が言う。

「乗用車が十キロ走ったときには、清掃車はもっと先へ進んでいるでしょ?　その先の地点に乗用車が着くときには、清掃車はさらに先へ進んでいる。残りの距離を乗用車が走っても、清掃車はまださらに先にいってるんだから、何回計算しても答えが出ないのじゃないかなあ」

「そうね。初めに十キロの距離を時速百キロで割ったら〇・一だから、かかった時間は一時間の十分の一で六分。六分後に清掃車がいる位置は、時速五十キロで六分間に進む距離は、六十分で進む距離の十分の一だから五キロ先。その五キロを乗用車が走る時間は百分の五時間…。面倒！　こうして何百回計算してもまだ追い付いてないじゃないの？　計算なんて、無理なのよ」

「サナエ、とてもいいところを突いてるよ」

もうかなり投げやりになっている早苗の顔を見ながら司郎が言った。

「それを繰り返して、出た時間をすべて足し込めば、追い付くのにかかった時間が計算できる」

ラーラは我慢強いな、と司郎は思った。織香も早苗ももう半分以上投げ出しているのに、ラーラは熱心に司郎を見つめてくれているのである。わかっている、いないを別に、司郎はラーラの態度に感動を覚えた。

「あのね。こういうときはこう考えてみよう。二台の自動車を外から見つめるのではなくて、そこに乗り込んじゃうんだ」

織香、早苗が白い目を向けてくる。

「ね、こんなふうに」

と言って、司郎は移動黒板に添え書きをした。清掃車がトレーラーとして牽引する台車を清掃車の後尾に描き、その無蓋の台車の上に人影を横たわらせ、ロープのように見える線をぐるぐるとチョークで描き込んで台上にその人影を縛りつけたのである。

「これが僕です。イッツ、ミー」

「ええっ?!　そんな危ないことしちゃだめよ」

「車のなかに入ってよ」

「Incredible!」

「いいの。これは漫画、カートゥーンだから」

心配そうにしてくれる彼女たちがどこまで本気なのか、と疑いながら司郎は続けた。

「ここに僕が後ろを見ながら乗っているんだよね。そこへ十キロの彼方から乗用車が追い付いてくる」

「十キロも先なんて見えないわ」

「ああ」

と司郎はうなだれて見せる。

「近づいてきたら見えるようになるよ」

「そうだわね」

「乗用車を、そうだ、オリガが運転してるとしよう」

「あたし、ライセンスないわ」

「ワタシ、Driver's License アリマス」

「じゃ、ラーラが運転してることにする」

「オリガとあたしは？」

「じゃ、きみたちは助手席と後部座席に乗ってるんだ」

「いいわよ」

「オーケー」

「Here we go!」

「僕は後ろに飛びすさってる。時速五十キロで」

「うんうん」

「きみたちは時速百キロで僕に追い付いてくる」

「そうそう」

「じゃ、僕から見たら、きみたちは時速何キロで接近してくるかな？」

「あたしたちは時速百キロなんでしょ？」

「きみたちは、はたから見ている人からすれば時速百キロで移動中だ。でも僕は時速五十キロで退いてるんだよ。後ろに下がりながらだったら、僕からきみたちは、百キロよりは遅く見えるだろう」

「わかった！　あなたも五十キロで後退してるのだから、あたしたちの速度との差よ！　差し引き五十キロであたしたちがあなたに近づいていくのね」

「そーう。僕から見ればきみたちは相対的に僕に時速五十キロで近づいてくる。ほら、どんどん、どんどん、近づいてくる。近づく速度が時速五十キロで、初めに開いていた距離が十キロなんだから…」

「そっかー。隣町が十キロ先で、時速五十キロの車で出かけるのとおんなじことが、この二台の移動する車同士の間で起こってるんだわ！」

「そのとおりだよ！」

「えっ?! それでいいのかなあ」

「オリガ。それでいいんだよ。あとでもう一度復習するからね」

「あたし、わかったわ！」

「It'll take twelve minutes」

「計算式は？ オリガ？」

「えっと、それは距離十キロ、割ることの、二台の自動車の速度差、百引く五十の五十キロ。つまり、十割る五十で、〇・二。一時間の〇・二倍は、そうそう、〇・二はそもそも五分の一なんだから、六十分割る五、で十二分なのね？」

「はい。きみたちの乗用車は僕の道路清掃車に追い付きました。それに要した時間は、計り始めてからは十二分後だったんだね」

「そうだったのね」

「あたし、わかったわ。追いかけられている側の気持ちになってみるといいのよ。追いかけられているけれど、自分も逃げている。でも、相手のほうが速い。そのとき、どれだけ速いか、を計算して、その数字で、計り始めたときのお互いが離れていた距離を割ってやればいいんだわ」

「You're right」

「ラーラ、あなた、理解早いわね」

「知ッテマシタ。ワカッテイタヨ？」

「そうなのー。賢い〜！」

「よし、それじゃ、時計の問題に当てはめてみようよ？」

「早くて追いかける乗用車が長針。遅くて逃げる道路清掃車が短針」

「でも、この二本の間の距離って、どこに表れてるの？」

そう尋ねて、八時を示している、司郎が描いた時計の長針の先から、短針の先までの間を、織香がチョークを引いて一本の線で結んだ。

「この距離？　これって、時計を大きく描けば遠くなるし、小さく描けば近くなるわ」

「時計を一周する距離を角度の三六〇度から「三百六十」とか、一時間は六十分の「六十」としてみてはどうかなあ」

「それとも一時間は三千六百秒の「三千六百」でもいいかもしれない」

「やってみましょうよ？」

「じゃあ、一周を六十分の六十としてみましょう。逃げる短針の位置は八時の場所にあるから、真上の零時の場所からの距離は四十ね」

「そこへ、長針の時速は一時間に一周するから六十。短針の時速は一時間には五、ってことね。すると時速の差は、六十マイナス五、イコール五十五」

「計り始めるときのお互いが離れている距離は長針が指している〇から短針が指している「8」までの（四十分に相当する）四十だから、追い付くのにかかる時間は距離四十を速度五十五で割って、五十五分の四十。分子分母は共に五で割り切れるから十一分の八ね」

「つまり、八時から「十一分の八」時間後に、長針は短針に追い付く。だから、八時と九時の間で長針が短針に重なる時刻がいつか、という問題に対しては、その答えは…」

「うーん。計算尺が必要だねえ」

電卓というものは、まだない。

「あ、だめ。あたし使えない」

「卓上電子計算機が二百四十ドルとかで売り出されてる国もあるんだって。八万円とかかな。そのうち僕たちにも安く手に入るようになるといいね」

「それで、計算尺使って？　どうなった？」

「うん。計算すると、六十、割る、十一、かける、八。それは、四十三分と〇・六四分。つまり、…この答えは、八時四十三分三十八秒少々、ってところかな」

「八時四十三分過ぎに長針、短針が重なるのね。うんうん。確かに文字盤の八と九の間で、より九に近い場所ね」

「お疲れさまでした」

「もっとぴったりした答えが出たらよかったねえ」

「うん、ちょっと残念」

「一日のうちで、長針短針が重なり合う時刻が時間・分の単位でぴったりくるのは、午前〇時と正午の二回だけだね」

「そうねえ。でもしようがないわよ。だって、長針と短針の速度の差が十二分の十一みたいな半端な数字なんだもの」

「でも、答えの導き出し方はよくわかったわ。自分が逃げる車の荷台に縛りつけられて追っ手を待てばいいのよ」

早苗がそう言うのを聞いて、四人が声を上げて笑った。笑いながら司郎は思った。

ラーラはいま、みんなと一緒に笑った。早苗が言ったことをちゃんと理解したからだ。さっき日本人三人がファーストネームで呼び合うかを話し合ってたときには、けげんそうなそぶりをしていたのに。ラーラはものすごいスピードで日本語を身に付けてきている。信じられないくらい。なぜ、そんなことができるのだろう。何か特別な資質なんてあるのだろうか。司郎は、率直にラーラに尋ねてみた。

「ラーラ、あなたの日本語能力は素晴らしく伸びています。何か秘密がありますか?」

そう英語で聞くと、ラーラは日本語で答えた。

「ドウシテカナ。ワカリマセン。小サイトキカラ、英語、フランス語ヲ話シテイタ。ワタシハ日本語モ話シタイ。ソウ思イマス」

多言語環境で育つことが、新しい外国語を習得する秘訣なんだろうか。数学的な考え方や数的な処理にもとても長けている。いずれにしてもラーラとは友達でいたい。もちろん、織香は格別なんだけど。

司郎は移動黒板に黒板拭きをかけながら、そう感じていた。

6　道場破りたち、海へ

わが国の公立学校では一九九五年におよそ隔週土曜日休暇が実施され、学校週五日制が固まったのは、二十一世紀に入って二年度目からだった。つまり、この物語の時代には、日本国の多くの学校では一週間の終日休暇は日曜日だけであり、それに土曜日午後からの半日休暇が付属していた。当時、普通の土曜日は午前だけ授業がおこなわれ、午後は帰宅した。または熱心なクラブなどでは課外活動が土曜日午後にもおこなわれることもあった。一部の徹底した私立進学校では特別に補修授業を組んでいたかもしれないが、多くの高校生は、土曜日の午後と日曜日とに週末の休暇を楽しんだのだった。

司郎や織香、早苗らの器楽クラブでは、平日の放課後以外に、コンサート出演前やイベントへのマーチング参加要請のあった時期には、土曜日と日曜日の練習が組まれることがあった。いずれも任意であり、家の都合やアルバイトの予定などによって練習を欠席する生徒もぽつぽつと見られた。司郎には、土曜日と日曜日に器楽クラブでの活動以外に、剣道部や道場通いの予定が入ることがあった。どうしても予定が重なるときは、原則として剣道のほうを休んだ。

いずれにしても、夏休みに入って八月七日のこの日曜日。司郎ら四人は、朝早く集合し、バスを使ってこの海辺へきたのである。司郎を除くとあとの三人は、もちろん野々山織香と下里早苗。それに加えて、やはり一年生の樋口大輔という男子生徒だった。

　織香は司郎を誘ったあと、友達になったラーラにも声をかけたのだが、彼女からは微妙に父親の用事が重なっていると断られた。行き先を教えたとき、その方面に父の用事がある、とラーラは答えた。しかし、織香らと遊ぶのはまず無理だろうという「予想」だった。

　同日の朝七時半にバスセンターへ集合したときに織香と早苗ははじめて、もう一人、司郎が誘った人が男子だと知った。見かけたことはある。体が大きい。縦も横も司郎よりも大きい。

「剣道部員の樋口大輔くんだよ。知ってるよね？、顔くらいは」

と司郎が紹介すると、早苗が織香を前に立てて、その背中に隠れるような格好をして言った。

「やっぱり、男子になったのね」

「えっと、僕、女子を連れてくる、って言ってたんだっけ？」

「いいえ、そうは言いきってなかったわ」

と織香が返すと、樋口大輔が言った。

「あの、ですね。樋口大輔です。ちょっと、体が大きすぎましたか？　ごめんなさい」

「いいえ、それはちっともかまわないのよ」

　かまわない、と言われると、やはり何らかの問題がある、ということなのだろうか。大輔はそう感じた。が、ま、いいか、と開き直った。それが普段の大輔の態度だ。

「いいえ、体が大きいことはいいことだわ」

と織香が言い直した。

「中学校が違うのよね、あたしたちとは」

「そうだね。きみたち三人はおんなじだろ？　僕だけが違ったな」

「だから、校内で見かけても、名前を知らなかったんだわ。あたしは、野々山…」

織香が言うのを遮って、大輔が続けた。

「織香さん。で、そして…」

それを聞いて、早苗が合いの手を入れた。

「あたしが…」

「下里早苗さん」

「そうよ。よく知ってるわね」

と早苗が感心したように言うと、大輔が答えた。

「あははは。剣道部員。そのうち男子だけに限られると思うけど、二年生男子にも三年生男子にも、野々山織香さん、下里早苗さんを知らない部員はいませんよ」

見る見る早苗の顔が紅潮した。

「鷹峯くんが剣道部でうわさ話をしてるから？」

と、織香が司郎の名字を「くん」付けにして言った。

数週間前に、織香、早苗、ラーラは、司郎との間で、これからはお互いにファーストネームで呼び合おう、と約束した。しかし、この海へ出かけようとした朝には、なぜそれをしなかったのか。「それはあの約束が「ラーラがいるときは」という限定付きだったからよ」とのちに織香は弁解した。ここにはラーラもいない。大輔も知ったばかりの人であって、あの強い?結束の輪に加わる人なのかどうかはまだわからないのだ。だから呼び捨てはやめておいたのよ、と早苗もあとで言い訳した。

「僕は、きみたちのことを剣道部員にべらべらしゃべったりしないよ。そんなことした覚えはないなあ」

「そうだよなあ、鷹峯。鷹峯と僕とが道場で野々山さん、下里さんの話をしたことはないよなあ」

その実、言葉とは裏腹に、男子二人は女子二人の話を、道場でよく言い交わしているのである。

司郎に目配せする大輔だが、それには気づかず、織香が重ねて尋ねた。

「じゃ、どうして?」

「有名だから」

何が有名なの?と織香が聞こうとすると司郎が言った。

「うーん。あのね。きみたちの名前は、男子はみんな知ってるんだよ。どうだろうなあ。きっとね、剣道部に限らない」

「いいえ。そんなことはないわ!」

と早苗が強く抗議した。

「確かめる者がいないから、本当にみんなのかどうなのかは、わからない。でも、チャンスがあったら聞いてごらん。器楽クラブ部員なら、もちろん男女を問わず二人の名前は知っているけど、クラブ外でも、クラス外でも、きみたちの名前は有名なんだよ」

その理由は、と尋ねたい顔をする織香へ大輔が真顔で宣言した。

「それは、きみたちが、なぜかな、いろんな意味で目立ってるからだね」

大輔が正面切ってそう言うのを聞いて、今度は織香の顔が紅潮した。実は大輔も…。

「そういえば、僕が見てて…」

と司郎が大輔の「窮地」を助けるかのように話を継いだ。

「教科の教諭たちが授業ごとに入れ替わって、俺たちの一年一組のクラスへきても、野々山さんの名前をよく間違えたり詰まったりしないですらすらと言えるなあ、って感じてたよ」

「あ、そうか。オリガさん、って読むのは、普通は難しいよね」

と、ほっとしたかのように大輔が言うと、

「きっと職員室でも、今年の一年生にはどんな子がいる？なんて、話題にされたんだよ。それもたぶん、男性、女性の教員を問わずにね」

「それにきみたちは、成績がいいらしいしなあ」

「そんなことないことは、鷹峯くん、よく知っているくせに」

織香はそう言った。それは、過日の「追いかけ算」のことを司郎に思い出させようとした言葉だったかもしれない。しかし、実際、織香らの学業成績は、模擬試験の席次を含めて悪くないのである。二人とも、確かに英語力については、ラーラ・アマートという、「英語・フランス語を生まれつき操り、この数週間でも恐ろしい勢いで日本語を習得しつつあるカナダからの交換留学生」に対してはその足元にも及ばない。しかし、それぞれが言語運用能力、コミュニケーションセンスは高い。普段の授業も熱心に聞いている。また、高校入試での数学や、一年生として入学してからの高校数学でも、正答能力は平均よりもだいぶん高いのである。ひと言だけその秘密を書こう。彼女らは、中学と高校数学の教科書・問題集を、文学（国語）を読むように精読する。もっと言えば、教科書の記述、とくに例題を暗記してしまうのである。そうしながら試験の前に、それはすなわちテキストの文言を覚えているうちに練習問題にあたり、教科書と問題集のその解説・解答も覚えてしまうのである。二人ともに記憶力がきわめて高いし、その再現能力も高度だ。つまり、記憶することに何のハンディキャップも感じていないのだ。

例えば織香は、日本国憲法前文を覚えている。第九条もいつでも暗唱できる。早苗は両方の英文を記憶してそらんじることが容易だ。一度、司郎も聞いたことがある織香の特技の一つに、「ジョンとメアリー・ドウのバケーション」という笑い話がある。これは再現すると十五分もかかる英文である。また早苗は、アルフレッド・ロード・テニスンの詩「リングアウト・ワイルドベルズ」二百五十語を早口に約一分で再現する。

いずれこの二人は、「それはなぜなのか」を問うようになる。そうなれば、これまでに付けてきた知識は百人力だ。記憶すべき負担もはるかに軽減され、数的・論理的思考能力が飛躍的に向上する。教諭たちはそれを楽しみにしているし、彼女らの言葉遣いにもいい印象をもっている。また、生徒たちとの応対だけでなく、大人の人々とのやりとり、堂々とした意見の述べ方などが、一種のオーラとして、二人の存在に目に見えない輝きを与えている。そのことを指して大輔は、「有名」な理由を説きたかったのかもしれない。

「きみたちの名前が知れ渡っているのは、きみたち二人の成績がいいことや、たくさんの人がきみたちをきれいと思っていることの現れなんじゃないかな。ごめん。うまく言えないんだけど…」

大輔は、そう口ごもってしまった。

女子生徒二人は、多くの職員と生徒に対して名前を覚えてもらえるようにアプローチすることなどまったくない。それなのにみんなは二人の名を知っている。その理由を司郎と大輔は、織香と早苗に対して、自分たちなりの言葉で伝えようとしていたのかもしれない。

「成績がいいですって？　きれいですって？　そんなの…」

「みなさんの誤解です」

と早苗と織香が言って、「論争」は落着した。

「それじゃ、今度は、樋口くんのことや剣道部のことを教えてね」

バスは揺れて田園の間を走っていく。司郎らのように、始発駅から終点に近い海辺までをフルに乗車する客はほかにはいない。停車場を数えるごとに、乗り込む客もあれば降りる客もあった。司郎ら四人はバスの後部座席に陣取っていた。最後部。進行方向に向かって左隅の席に早苗が座った。膝の上にバスケットを置いている。ほかに小さなリュックを足の甲から脛の上に置き、大きなリボンが付いたお気に入りの麦わら帽子を脱いでその上にかぶせていた。進行方向の右隣にほとんど同じ格好をして織香が座った。織香は右手、前方からの通路後部突き当たりの座席にリュックを置いた。さらにその右隣に体が大きい大輔が座った。その一列前の席。進行方向の左端に司郎が腰かけ、自分の荷物を進行方向の右手に置いて、半身になって後部席の二人を振り返りながら道中を過ごした。乗車後すぐ、司郎が早苗を促して彼女のリュックを受け取り、自分の荷物の上に降ろしてから、彼らの話は、こんな格好で続けられていた。

「樋口くんは、剣道をいつからやっているの？」

と早苗が尋ねた。

「小学校のときからやってるよ。家の近くにある警察署の道場に通ってた。いまもときどき訪ねるんだけど、そこはちょっと名門なんだ。これ、自慢」

大輔はなかなか口のうまいやつだなあ、と、女子の質問にすらすらと答える彼を見て司郎は思った。俺とは違うな。

「樋口くんは、鷹峯くんとはいつから知り合いだったの？」

「うん、中学のときからだね。剣道の大会や学校間の試合ではよく顔を合わせたよ」

「ふ～ん。そうだったの。鷹峯くんは剣道にも、気合が入ってるんだね」

と早苗が感心したように言った。

「あはははは…」

大輔が笑い声を上げた。それを驚いたように見つめる女子二人に、大輔が説明するように言った。

「鷹峯の剣道に、「気合」かあ。入ってるとも。中学生のときは近くの中学はもちろん、県大会も総なめだったし、顧問の先生からのアドバイスがあったからだけど、彼と二人で近くの高校に「道場破り」にいったこともあったなあ」

「道場破りですって?!」

「『頼もう〜！』ってやつ？」

「そう。ほんとにナマイキな言い草だけど、中学には相手がいなくて、いくつか高校へも出かけたよな？」

と大輔が司郎に同意を求めた。司郎は、答えずに、バスの窓の外を見ながらほほ笑んだ。

「鷹峯くん、道場破りしてたの?!　その体で？」

「それで、高校生に勝ったら、その高校の剣道部の看板をもって帰ったの？」

「こんな小さい体で悪かったね」

「織香、ちょっと失礼かもよ？　鷹峯くんはあなたよりもずっと大きいし、この腕っ節、ごらんなさいよ」

　そういう早苗に、大輔が笑いながら言った。

「あはは。確かに司郎は巨漢じゃないね。でも、野々山さんよりは背、高いな。十五センチくらいの差？」

「わかったわ。ごめんなさい。身長、体重の話は、やめましょう」

　少し顔を赤らめて、織香が謝った。そこへ早苗が重ねて尋ねた。

「でも、どうして違う中学校同士の二人が、一緒になって高校剣道部の道場荒らしをして回ったの？」

「荒らしたんじゃないよ。練習させてもらったのさ」

と大輔が注釈を加え、司郎が説明した。

「うん、それには理由があってね。中学の剣道部顧問の教員同士が僕たちのように仲が良くて、それに僕たちのいまの高校の顧問もその仲間だった。いまでもそうなんだよ」

「うん、うん、うん。そっか〜。大人の「根回し」はあったのね」

「「根回し」って、何。早苗？」

「うーん、なんて説明するかな。うーんとね。植物を移植するときに、土とかにあらかじめ鍬入れしたり肥料撒いたりとかしておくことを「根回し」っていうんだって。それと一緒で、決めたいことを決める前に、それがうまくいくように先に周りでできる相談をすませておくことらしいわよ」

「早苗、説明うまい。よくわかったわ」

「う〜ん。僕も下里さんの説明はよくわかった」

「うん、上手だね」

と司郎。今日はどことなく司郎の織香や早苗に対する言葉遣いが、これまでに比べてややなれなれしげに変わっている。これまで織香と早苗という女子生徒二人に対して、司郎という男一人が対峙していたのに比べると、きょうは男側に大輔が一緒なので、気が大きくなっているのかもしれない。

「そうだ。アマートさんは、結局、きょうは誘わなかったの？」

「聞かれると思ったわ」

と早苗が少し小ずるそうな顔つきをして言った。せっかく友達になれたラーラをなぜ呼んでないんだ、って追及が必ずあると思ってたわ、とでもいうような表情かもしれない。

「ずっと以前から誘ってたのよ」

と、織香も声を上げた。

「いけるかもしれない。でもおうちの都合が入ってしまうかもしれないからそのときはごめんなさい、ってね。いけるときは織香の家に、前夜までに電話する、って言ってくれたんだけど、かかってきた電話で、どうしてもお父さんの関係でだめっぽい、って」

「ふ〜ん」

とうなずいて見せる司郎に、織香が重ねて声を上げた。

「本当なんだ、ってば！」

「いや、何も疑ってないよ。わかったから」

織香は、僕がラーラと一緒にきたかったのだろう、残念がっているにちがいない、と疑っているのかな。そんなことはちっともないのに。ちっとも？　いや、本当にないんだ。と、司郎は自分の胸に言った。

「誰なんだい？　そのラーラ、って？」

そう尋ねる大輔に、早苗が尋ね返した。

「あれ？　樋口くん、ラーラ・アマートさんを知らないの？　学期途中だけど、カナダからの交換留学生で編入してきたのよ？」

「カナダから、って、「金」に「田」の「金田」からじゃなくて北アメリカのカナダから？」

「そう。「金」に「田」の金田じゃなくて、アルファベットでC、A、N、A、D、Aのカナダからきたのよ？」

「そんな生徒が僕たちの高校に入ってきてるの？　知らなかったなあ」

「樋口くんの三組は一つおいて隣なだけなのに、見かけてない、って変ねえ」

「じゃ、今度、一組を注意して見るよ」

樋口、何言ってんだ。ま、確かにおまえにラーラのことを話したことはなかったけどな。一般人と思えないような留学生がきてるのに、不注意なやつめ、と司郎が唇の端を曲げてほほ笑んだ。

海辺の町にバスが到着した。

「わーっ。きれい～！」

「うん、広っろ～い！」

長時間乗車したバスから降りて、背伸びをしながら少女らが叫んだ。すると、大輔が司郎に言った。

「あれ？　鷹峯、見ろよ」

「何だい？」

「ほら、向こうで誰かがこちらへ手をふってるぞ」

「あ、あっれ～?!」

「ラーラ？　ラーラじゃないの？」

「あ、あの白い車のそばにいるのが、さっき話してた彼女のことかい？」

と大輔が司郎に尋ねた。

司郎も驚いた。白いベンツが停車して、開いた左側のドアの脇にはラーラ・アマートが立っていた。彼女は笑顔いっぱいに、司郎らのほうへ手を振っていたのである。

7　フローティングプログラム

「ラーラ、ラーラ〜！」

喜びの声を上げて、織香、早苗がすごい勢いで駆けていく。その手には何も持っていない。小学生は、目的地の寸前になったら必ず駆けだす。あれと同じだな、と司郎は思った。司郎と大輔は自分の小さい荷物と織香らのリュック、バスケットを持ち、彼女らの麦わら帽子をそれぞれ自分たちの頭に乗せてラーラへ近づいていった。もちろん司郎が大輔よりも先に、織香の麦わら帽子を自分の頭に載せたのだった。織香らは、ラーラとはしゃぎまくっている。

「ラーラ！　元気？」

と司郎が声をかけると、ラーラが司郎のほうを向いた。パッと大輪の花が咲いたようにその顔に笑いがはじけた。司郎は何日か前にラーラに会ったばかりだったが、英語で元気？（How are you?）とは毎日聞いていていいのである。

「シロー！」

司郎は、ラーラが満面の笑顔で自分に向かってそう呼ぶのを聞いたとき、めまいを覚えた。立ちくらみなど以前には経験したことがなかった司郎である。ラーラに初めて会ったときが最も強かった。朝、会うたびに、また、ラーラのブロンドが目に入るたびに、司郎はなんだかめまいがする。しかし、それは悪い気分ではない。何かに持ち上げられているような、自分の身体が突然軽くなったような、ときには足元がおぼつかない気分だった。

「元気よ。あなたは？」

「僕も。ありがとう、ラーラ。彼は初めてでしょう？」

とシローが大輔を振り返った。

「ぼ、僕は（あの、えっと）ダイスケ・ヒグチといいます」

目を丸くして、また硬直したような姿勢ながら、大輔も英語でそう言った。彼もやはりめまいを覚えているのだろうか。

「ダイスキー・ヒグーチ」

それを聞いた早苗が慌てたように言った。

「ラーラ。ダイスキじゃなくて、ダ・イ・ス・ケ。DAI－SUK－E」

ディーエイアイ、エスユウケイ、イー、のように発音。

「オーケー、ダイスケ。はじめまして。あたしは、ラーラ・アマートといいます。LAR－A、AMA－TO」

と言って、ラーラは大輔の手を取った。大輔はラーラからいきなり握手されたからか、たじろいだ。それも、どうやら大きい衝撃のように見受けられた。後日、大輔は司郎に言った。あのとき、頭がくらくらする気がしたよ、と。

「き、きれいだー」

これだけは日本語で大輔が言った。

「ラーラの苗字、アマート、ってすてきな響きだわ」

と織香も日本語を漏らした。「マ」の上にアクセントを置いて、アマートウ、のように発音した。

「あたし、実はね。オハイオ州にペンパルがいるの。アマート、っていう友達ができたわ、って書くと、「アマート」っていうことばには、「愛」っていう意味が含まれてるんだよ、って教えてくれたのよ」

と早苗がこれもまた日本語でまとめた。ラーラは和語の氏名欄には、自分で「ラーラ」、としか書かないが、英文の帳票へ記名するときは、ミドルネームを加えて「Lara Meredith Amato」とサインした。

「サア、ミナサン。ノッテクダサイ」

ラーラが日本語で言った。

「えっ?!　この車に、あたしたちが乗っていいの?」

「誰が運転するの?」

「これ、ラーラの家の自動車かい?」

「これ、って、メルセデス・ベンツのSクラスだろ。金持ちー!」

口々に日本語が飛び交う。その様子を見ながら、ラーラが笑って英語で言った。

「これは父の車。運転はあたしがするわ」

「そう言えば、あなたライセンスもってるって言ってたわね。でも、無理っていってたのに、きょうはよくこの海岸へこられたわねー」

早苗が流暢に聞く。

「ええ、ライセンスあるって前にも言ったわよね。カナダでは、お酒とたばこは十九歳からだけど、選挙の投票と賭け事は十八歳から。運転免許は十六歳から取れるのよ。きょうは、父の仕事が偶然ここに重なったので、幸運だったわ」

と笑うラーラ。

「そっかー。ラーラは今年、もうお誕生日迎えてるんだね。それで国際免許なんだ」

「ええ。運転免許はオンタリオ州で誕生日に取ったわ」

「ふーん」

そのあたりまではほかのみんなもだいたいついていっていたが、その後いくつかのセンテンスはよく聞き取れず、早苗だけが顔を真っ赤にした。

「ねえ、ねえ。ラーラは何て言ったんだい？」

と大輔が早苗に日本語で尋ねた。

そのラーラは、早苗が真っ赤になるのを見て、少し当惑した顔だ。

「ううん。いいのよ」

と早苗がこの話を流そうとした。

「結婚できる年齢が十八歳なんですって？」

と織香が早苗に日本語で尋ねた。早苗も日本語で答える。日本人同士の間ではやはり日本語になる。

「ええ、そう。親が同意したら、十六歳でも結婚できる」

「そっかー。ラーラの国ではそうなんだね。日本の婚姻可能年齢は、男は同じ十八歳だけど、女性は十六歳なんだよ」

司郎が言った。

その後、日本での婚姻可能年齢は、二〇二〇年からは男女ともに十八歳からとなっている。選挙権は二〇一五年から十八歳になった。もちろん男女ともにである。わざわざ「男女ともに」と書いたのは、一九四六年四月までは、日本の女性には選挙権がなかったことを思い返したかった、ということがある。

「そうなのね。結婚可能年齢とかの話で早苗、戸惑ったんだね」

織香が言うと、早苗は顔を赤らめたまま、うなずくでもなく下を向いた。

このことについては後日、織香が早苗と二人きり、つまり男子が会話に加わっていないときに話をむしかえした。

「あのとき、困っちゃったよね」

と織香が言うと、早苗は、そうそう、そうなのよ、と答えた。

「織香。あのときラーラは、婚姻可能年齢のことだけじゃなくて、性行為が法律で罰せられない年のことも言ってたのよ。男女間で合意した性行為が罰せられないのは、十六歳からなんだって」

早苗はこのときも顔を赤らめて言った。

「え、え～っ?!　あのとき、ラーラ、そんなことまで言ってたの？　それで早苗、顔真っ赤にしてたのね」

「ほんと。焦ったわ」

「ご苦労さまでした」

そこにいた早苗以外のみんなが、その部分の英語を理解していなかっただけのこととはいえ。織香は、早苗のおかげであの場が平穏に保たれたんだなー、と感謝の念が湧いてくるのを感じた。

「それでね。あとであたし調べたんだけど、それってオンタリオ州のことみたい。州によって一歳くらい上下しているのね。ラーラのオンタリオ州では、十六歳に達しない性行為は、合意のうえであっても男性のほうが「強姦罪」に問われたりすることがあるのよ」

「ふ～ん。そうなんだね～」

「ついでだけど、日本では何歳にならなければ性行為はできない、って定めは刑法にはないわ。強姦は、暴行・脅迫がなければ成立しない。ただ、十三歳に満たない女性に対しての行為は、暴行・脅迫がなくてもし合意があったとしても強姦罪に問われるんだって」

「そうなのね～。部分的に詳しくなっちゃったわ。ありがと」

と織香は礼を述べた。

さて、話を元に戻そう。

「じゃ、ベンツに乗せてもらいましょ」

早苗がそう言って、ドライバー右手の助手席に乗り込む。後部座席には進行方向の左から、織香、司郎、大輔が陣取った。運転席は左側だ。ヨーロッパからの輸入車の多くが右ハンドル車に変わっていったのは、一九八〇年代に入ってからのことである。

「ところで、どうしてきょうはラーラがお父さまの車を使っているの？」

と織香が聞いた。早苗も言った。

「おうちのこと、都合がついてよかったわね、ラーラ」

「実はね、けさ、この近くまで父と一緒にきたのよ。もう一人も一緒なのだけど」

「ラーラの運転で？」

「いいえ。もう一人青年がいて、父の部下。彼の運転できたのよ」

「そうなの。どうしていまラーラだけなの？」

「あの人たちは、別の場所を視察してるわ」

「ふーん」

「午後に、みんなできてほしい場所があるの。楽しみにして」

「へえー。わかったわ」

急にラーラが日本語で言った。

「ハジメニ、ハマベデ、オヨギマショウヨ」

はじめに、というのは、どういうことだ？とかすかに司郎の胸が高鳴った。ラーラは、泳いだあとで何をする、というのだろう。

「あとで、みんなを案内したいところがあるけど、泳いでから、ね」

と今度は英語で言うと、ラーラは車をパーキングに入れた。広い砂浜を前に「海の家」と称するいくつもの売店や貸しシャワーなどが並び、そこことなく葦の簾（すだれ）や屋根の下に縁台が連なっている。貸し浮き輪が地面に立てた竹竿にタイヤを重ねたようにそびえている区画の端、砂地が始まる前がコンクリートのパーキングエリアである。

「きょうは、みなさん、門限がありますか？」

「あるけど、朝家を出るとき母に、遅くなるかもしれない、と言ってきたから。でも十時よりも遅いのは困るな」

と織香が言うと、

「あたしもそんなもの」

と早苗。

「僕たちは、明日になっても問題なし」

と司郎が男子を代表して答えた。

「そんなに遅くはなりません」

ラーラが笑い、その笑顔が、午後には何か楽しいことが待っていると語っていた。

五人は、車上荒らしにあわないように貴重品をシートの下などに置いて、車をあとにした。ひとつの「海の家」を決めてバスケットを置き、水着に着替える。いわば「お披露目」の準備には、織香、早苗ともに力が入った。二人がこの数週間、フィッティングと減量努力などを重ねてきたことを秘密にする必要はないと思う。

司郎と大輔は、葦の簾でできた屋根の下、陣取った縁台に女の子たちのバスケットなどの荷物を置き、その脇でバスタオルを腰に巻いて、あっさりと着替えをすませた。

そこへ織香ら三人がキャッキャとはしゃぎながら、借り受けた浮き輪やビーチボールを手に更衣所から出てくる。

三人はそれぞれよく似合う水着姿で、人目を引いた。

周りの海水浴客の数も少ないものではない。男女を問わず大人たちは一斉に、三人の少女に目を向けている。家族連れのパラソルからは、三歳とか五歳くらいの幼児が何の恐れ気もなく、ただ美しい女子生徒たちのほうに足を踏み出してしまっている。…そう。小学校高学年以上、または中学、高校生より年上の人々の目には、何かおごそかなことが起こっているかのように映ったのではないだろうか。それは男女を問わず、である。三人の登場に、浜辺にいた人々の目は自然に吸い寄せられていった。

「水辺にいきましょうよ」

織香が、司郎、大輔に声をかけた。

それを聞いた瞬間、司郎と大輔は、腰かけていた縁台から直立不動の姿勢で立ち上がった。

「ただいま！」

と司郎が、

「お供します！」

と大輔が言った。

とりあえず、波が届かない砂の上に浮き輪やビーチボールを置いて五人は波の間に入り、水をかけ合った。三人の女子からは続けざまに周波数高い目の声が上がる。

どうしてこんなことがこんなに楽しいのだろう。こんなに気持ちが浮き浮きと躍るのはなぜだろう。司郎、大輔にはそれがわからなかった。実をいうと、織香にも、早苗にも、またラーラにさえもわからなかったのである。

ひとしきり水をかけ合うと、五人は、輪になってビーチボールを突き合った。どうしても司郎と大輔が、落としそうになるボールをカバーする側に回る。隣同士になった中間点に落下するボールを拾おうとすると、互いの手や腕がどうしても重なってしまうものである。司郎と大輔の手が重なっても何の積極的な意味もないのだが、司郎らと織香たちの誰か、あるいは女子の誰かと誰かがもつれ合ってしまうのは、なんともどきどきする経験だった。そう思っているのは司郎と大輔だけだろうか。確かに彼女らが、そんな浮ついて薄っぺらな感想や希望をもっているとは、司郎にも大輔にもとても考えられないのだった。

しばらくビーチボールで遊ぶと、男子が砂浜の砂に埋められることになった。女子を埋めたい気持ちがないわけではないが、そんな思いを表に出すことはできない。といって、男子二人はその決定を苦にしているかと言えば、それはまったくない。大歓迎なのだった。はじめ、ここに並んで横になれと命じられてそうすると、女の子たちが、きっと三日はかかるだろうと思われる手作業でぱらぱらと砂を男たちの上にかけ始めた。

「そんなのだめだよ」

と、大輔がおもむろに起き上がって、いま寝ていた場所の砂を掘り始めた。それが、とんでもなく猛烈な勢いだ。この勢いがいつでも練習に出せたら、あるいは試合で発揮できたら、大輔は剣道界で無敵の位置につけるだろう、という考えが浮かび、司郎は笑った。

かく言う司郎も大輔に倣って起き上がると、自分が横たわる溝を掘った。砂を掻き分ける作業が、何の苦にもならない。人間って、いや、男だけなのだろうか、一見くだらないと思えることにも夢中になれる。心が面白い構造をした生き物なんだなあ、と司郎は思った。掘った砂で二つの丘ができた。その二つの丘の間に掘られた二列の溝の一列一列に、司郎と大輔のそれぞれが体を横たえる。

そこへ女子たちが、いま司郎らが掻き分けて丘になった砂を押しかぶせ、またそれを均等にならし、頭だけが麓の地面に生えた、砂山を完成していった。

司郎の山は比較的容易にでき上がった。大輔の山には、早苗とラーラが悪戦苦闘している。司郎と大輔の体格差のせいである。彼らの腹囲を比べると、大輔の腹囲は司郎のそれの一・三倍。寝そべった腹の高さも、大輔が司郎の一・三倍。単純に三乗して計算すると、司郎の山が必要とする砂の量の約二・二倍の砂が、大輔の山には必要、ということになる。

砂山に埋まった司郎のみぞおちの上くらいに織香が二段目の小山を作り、それを両手で固めながら、波打ち際に流れ着いている三十センチばかりの小枝をその小山の頂上から縦に差し込んだ。

「鷹峯くん。いえ、シ、シロー？」

と言って、織香が司郎の顔色をうかがった。苗字でなく司郎の名前を呼ぶのは、以前にラーラとの約束で、「あたしたちの間では、ファーストネームで呼び合おうね」と約束した。そして、朝バスに乗ったときにはまだいなかったラーラがいまはいる。だから、その約束が有効だ、と織香は思った。司郎もそう気づいてほしい。そうだ、樋口大輔くんにもそれを言わなきゃ。ダイスケだよ、きみはここではね、と。織香はそう思いながら、司郎に向かって言った。

「シロー。動いちゃだめよ！「シロー岬」に灯台が立ちました。動いて倒しちゃうと、近海にいる船がみんな迷ってしまって、港にも帰れなくなるわ」

織香は、そう司郎に命じた。

「野々山さん。いや、オ、オリガ？」

司郎も一瞬、織香の顔色をうかがってから続ける。

「そうはいっても、その小枝、浅すぎるよ。もっと押し込んでくれなきゃ」

「おなかに刺さっちゃうじゃないの」

「まあだ、大丈夫さ」

「そうお？」

それを聞いた織香は、おもむろに小枝を押し込んだ。

「大丈夫？」

の声が届く前に、司郎はおおげさに叫んだ。

「いてててて…。オリガ、突き刺さった！」

砂山の司郎岬にひび割れが起こる。

「ごめんなさい。ごめんなさい」

そう謝りながらも、織香は「灯台」を佇立させている小山を、押し分けて司郎の腹部の様子を見るよりも、さらに両手で固めるほうを選んだ。岬のそこかしこにできた「地割れ」にも修復工事を施した。ただその声だけが、心配の色に染まっていた。

「大丈夫？　シ、シロー？」

「うん、大丈夫だよ」

「何かほしいものない？　冷たいお茶、ほしい？」

「いや、いまはいらない」

そう聞いて、織香は内心残念だった。動けない司郎へ、窒息しないよう気をつけながら、介護するようにお茶をあげられたかもしれなかったのに。

「わかったわ」

と言って「大輔岬」のほうを振り向いた織香が、もう一度司郎に聞いた。

「あっちを手伝いにいっていい？」

そう聞いて、織香は、司郎が、どうしたの？　何かあるの？という瞳を自分に向けていることに気づいて顔を赤らめた。

「あ、そうだ。じゃ、このクイズ出しておくよ」

「なにい、それえ。試されるのはいやだよ」

クイズ、と聞いて織香は顔をしかめてみせた。それは、さっさと大輔の岬工事に移っておけばよかった、という気持ちの表れだったのかもしれない。

「じゃ、問題です。「司郎灯台」ライトまでの高さが海抜三十メートルである場合、操船室の窓が海面から十メートルの高さにあったとしたら、その船は最も遠くて何キロ先から司郎灯台の光を見ることができるでしょうか？」

「無理、無理。覚えられない」

「司郎灯台が三十メートル、船に乗ってる人の目の高さが十メートルだよ」

「即答？」

「いや、ごめん、僕もこれから計算するんだ」

「答えがないクイズなんてだめよ」

「だから、あとで答えてくれよ」

「そんなの、覚えてられるわけないじゃないの」

「きみが最初に「司郎灯台」って、言ったんじゃないか。灯台倒れたら船が帰れなくなる、なんて」

「ごめんなさい。わかったわ。じゃ、みんなで考えてみましょう」

どうも織香は、数字の問題は好きではなさそうなのである。そこを司郎は、好きにならせたい、と感じている。だが、それはいますぐでなくていい。算数を好きになるよりも、数字の問題が好きな人（すなわち自分）を好きになってほしいものだ。

そんなことをやりとりしていると、早苗が司郎、織香のほうへやってきた。

「ラーラ、頑張ってねー。ダイスケ、動いちゃだめよー」

大輔ももう樋口くんじゃなくて、ダイスケでいいんだな、織香はそう感じた。

「ああら、オリガ。うまくできたじゃないの」

「えへへへ。それほどでもお」

と司郎が言うと、

「あなたは何もしてないでしょ？　頑張ったのは、オリガなんだから」

「うん」

「じゃ、シローの山はつぶして、水浴びしてきましょ」

「それで？」

「それで。みんなでダイスケを「いたぶる」のよ」

「いじめるの？」

「ううん。ダイスケがしてほしいことを先読みして、してあげるのよ」

「悪っるーい」

「いいから、いいから」

早苗が司郎を起き上がらせて、せっかくできた司郎岬が無残にも崩れていく。

「ワオー！　震度九だー！」

それを見ながら、織香も笑っている。

「ほらほら、立って立って」

早苗と織香がそれぞれに、砂まみれの司郎の両手を引いて砂浜を波に向かって駆ける。たった十五分二十分のことなのに、寝そべっていた状態から起き上がって駆けだすのは体が重い。司郎には、

「青い地球が見える。でもおかしい。国境が見えない」と言ったあの宇宙飛行士も、無重力環境を経て地球に回収されたときにはスタッフに担がれたんだなー、という余計な感想が少しの間浮かんだ。

波打ち際から海中に入った司郎は、少しの間、浮かぼうとした。

その様子を見て織香が司郎に向かって言った。

「えっとね。シロー？　泳ぎがうまくない、って言ってなかった？」

それを引き取って早苗が続けた。

「たしかそんなこと言ってたわね。剣道はいちばんくらい強いのに」

司郎が答えた。

「うん、苦手なんだ。きみたちは何メートルくらい泳げるの？」

「四キロなら泳いだことあるけど、きっと時間あれば十キロくらいは泳いじゃうわ」

「あたしも」

「え、え〜っ?!　僕は二十五メートル。しかも足の立つところで」

それを聞いて少女二人が笑い崩れた。ひとしきり笑ったあとで織香が言った。

「じゃ、とりあえず泳いでみて」

「平泳ぎでいいわ」

と早苗も言った。

「クロールのほうが得意なんだけど」

と抗議する司郎。それで織香が言った。

「じゃ、クロール」

司郎が水を跳ね上げるのを見て、織香が続けて言った。

「もういい。もういい」

海水は司郎の胸まできている。織香、早苗は肩まで。

「シロー。体に力が入りすぎなのよ。こうなって仰向けに浮いてごらんなさいよ」

そう言うと、織香が海面に仰向けに浮き上がって見せる。海水面から驚くほど体の多くの部分が空中に浮き出ている。考えられない、と司郎は感じながら、織香のまねをしようとした。海底を蹴って、体を水面に持ち上げようとそり返る。ブクブクブク…。

「ダメダメ、肩と腰に力が入りすぎ。肩と腰の力を抜いて、ほらこうやって」

起き上がった織香と見ていた早苗が、司郎の背中から臀部、大腿部背中側を支えて浮かせようとする。

「だめよ。もっと力抜いて。首をそらせて。もう頭も全部漬かっちゃうつもりで、頭の先も耳も、みんな水のなかに沈めて」

織香と早苗の手が司郎の背中側のあちこちを移動する。遠慮なく臀部を下から支える。大腿にも素手が触ってくる。力を抜けと言われても、逆に緊張が高まっていく。

「ずいぶんいいわよ。そうそう。力を抜いて。すーっと。ふうーっと。いいわ、上手。できてるわよ」

「シロー、ほら、サナエを見て」

司郎はまた立って、脇に仰向けに浮いた早苗を見た。織香のように、耳も髪も海中に漬かり、腕も脚も多くの部分とともに、閉じた両目さえも水面すれすれにあるが、鼻も口も上向きに水面から出て呼吸を確保していて、胸部も腹部も両肩さえも水上に驚くほど露出している。

「ほら、こんなふうにね。触ってごらんなさい」

と言って、織香が遠慮会釈なく早苗の腹といい、腰といい、胸といい、脚といい、ぐいぐいと上から押さえつける。が、早苗の身体は仰向けに海面に浮かんだままで、沈むどころかまったく動じない。すごい、と司郎は感じる。

「力を抜くとできるのよ?」

と早苗が起き上がって言う。

「オリガ、浮いて?」

早苗と同様に浮いた織香の身体を、早苗が次々に上から押さえつける。

「シロー。ほら、あたしに触ってみてちょうだい?」

と織香が言うのに合わせて、司郎は織香の肩をそっと上からつついてみた。動かない。力を抜くと浮かぶ力がはたらくのか。

「「物」になりきる、ってこと?」

「うん。きっとそういうことだと思うわ。でも、理屈はいいから、もう一度。シロー、浮いて」

何事も一朝一夕にかなうものではない。触れ合っての「海面浮揚（フローティング）プログラム」は、「浮く力、体の力を抜いてこそ」を標語に十分間ほどおこなわれたトレーニングだったが、そのうれしい恥ずかしい楽しい経験は、かなり長い間司郎の胸に残る記憶になった。

もうひと言だけ、このシーンに付け加えなければならないことがある。この、はしゃぐ高校生五人の姿を、ある「海の家」の前にかかった葦簾（よしず）の間から、双眼鏡を使って観察している男の姿があったのだった。

8　一刀流真向唐竹割り

「ねえ、ねえ。おなかすかない？」

「お昼にしましょうよ」

「ワタシモ、オナカ、スキマシタ」

「お弁当作ってきたし…」

「じゃ、俺たち、あの「海の家」のどれかで、たこ焼きとか焼きそばとか売ってないかみてくるよ。な、ダイスケ」

「おう。そうしようぜ」

「あのね、シロー、ダイスケ。あたしたち、お弁当たくさん作ってきたのよ。あなたたちの分も、ラーラの分もあるわよ。ねー、オリガ？」

「うん、運んでくれたあのバスケットね」

それを聞いて男子二人が感嘆の声を上げた。

「ワオー！」

「そいつはすごいぜ！」

ラーラも言った。

「アリガトウ。ワタシモ、タベテホシイモノ、モッテマス」

五人は、葦簾で日陰になった縁台にお弁当を並べ、水とお茶で乾杯の用意をした。

「しろー、テツダッテ」

と言って、司郎と連れ立ったラーラが、クーラーボックスを二人で提げて、メルセデスを止めたパーキングから戻ってきた。

「ほーら、ラーラからプレゼントだよ」

とシローが言った。

クーラーボックスには、フルーツが食べやすいように切り分けて入っていた。五人は、飲み物を手に乾杯を叫び、織香、早苗が腕を振るったお弁当に舌鼓を打った。レタスを敷いた上に、千切りキャベツを載せたサラダ。鶏唐揚げ、卵焼き、ウインナーソーセージ、煮カボチャ、ホウレンソウの和えもの、ブロッコリー。そのうえ、オムレツまでが並んでいるのである。

「すごいね。オリガ。料理上手！　サナエも」

そう声を上げる大輔に、ラーラも大きくうなずく。織香は、少し頬を染めてにこやかな表情で、恥ずかしそうにひと言告白した。

「あのね、あたしは母が早起きして手伝ってくれたのよ」

「あ、オリガも？　あたしも母に手伝ってもらったんだ」

「じゃ、オリガのおかあさんも、サナエのおかあさんも料理うまい―」

「オリョウリ、オイシイ！」

「オリガ、サナエ。お母さまにお礼言っておいてくれよな。俺たちいつか、大掃除とか力仕事、手伝いにいくよ」

「ワタシモ、イクヨ」

とラーラが言って、五人は大声で笑った。

食事が片付いたところで、五人はスイカ割りに挑戦した。

大輔が「海の家」から買ってきた冷やしたスイカの一玉が三百円。それを砂地にビニルシートを敷いた上に置いて目標とし、十メートルばかり距離をとってスタートラインが引かれた。目隠しした織香から挑戦が始まった。右だ、左だ、そこを真っすぐ、などと周りがはやしたて、織香も早苗もラーラも、あさっての方向の地面の砂へ、借りた草野球バットを打ち付けてめり込ませた。

「よーし、任せろ」

と、いきり立って自ら目隠しした大輔。司郎の指示で女子三人が彼の手を取り肩を押さえてぐるぐると体を回転させる。

「これだけ回せば目が回っちゃったわよね、ダイスケ」

「そんなものでいいよ。いけ、ダイスケ！」

と司郎が言うと、大輔は、

「うーん」

と苦しそうな声を上げた。しかし声とは裏腹に、すたすたと十四歩（と早苗は数えた）で目標前まで進み、バットを振り上げた。

「きれいに割れよ、ダイスケ！」

司郎がそう叫んだとき、

「やー！」

という大声とともに、大輔がバットを振り下ろした。バットはスイカの中央、真上から目標を「直撃」した。

「キャー、ダイスケ、すっごーい！」

「ダイスケ、ステキー！」

「ダイスケ、ダイスキー」

大好き、と言ったのは早苗だ。しかし、スイカはつぶれなかった。大輔は置かれたスイカの高さまでを見切り、舞台で目を開けて演じるように、スイカに振り下ろしたバットを、それが目標に当たった瞬間で止めたのである。

「見事だ、ダイスケ」

司郎がそう言って、大輔に向かって、剣道の試合のときにだけ見せる吊り上げた眉に厳しい両眼をたたえた不敵な面構えでコクリと会釈した。大輔のバットは、スイカの上でまだ動かない。

笑顔で目隠しを取った大輔が目標物のスイカを持ち帰って縁台へ置くと、そのスイカの表面には数本のひびが走っていた。

「ダイスケ、あなたって、すごいのね」

と早苗が感嘆の声を上げた。

「びっくりしたわー。当たったと思ったのにスイカが割れないから。あたしはてっきり外しちゃったのかと思ってた」

と織香も大輔をたたえた。

「チャント、アテタネ」

ラーラも驚いた様子だ。

「あんなにぐるぐる回転させたから、絶対目が回ってると思ったのに」

「どうやってスイカの方向がわかったの？　あたしたちの声との関係？　足場に何かあったの？それとも太陽の位置を感じたの？」

「ダイスケ、スゴーイ！」

「食べやすく切れやすいように、ひびだけ入れるなんて」

大輔は、

「いやあ、それほどでも」

とわざと照れたセリフを言ってから笑った。

織香が司郎に尋ねた。

「ねえねえ。本当に大輔はあのバットでスイカにひびを入れたの。それともあなたたち、あらかじめナイフとかで細工してた？」

司郎が、答えるかわりに尋ね返した。

「スイカの前まで、大輔はまっすぐに歩いただろう？　それには、何か謎やトリックがあったと思うかい？」

織香は首を左右に振った。それを見て司郎が続けた。

「トリックは何もないよ。剣道家だったらできるさ」

「あなたも？」

と織香が尋ねた。

「スイカの前で好位置をとることも、スイカを割ることもきっとできるよ。僕にもね」

司郎は続けた。

「ただ、ちょうどひびが入るように表面まで打ち下ろしたのは、大輔の技だね。きっと幸運も味方してくれただろうと思うな」

織香と一緒に隣にいた早苗も、それを聞いて深くうなずいた。

司郎が持参したナイフでスイカを切り分け、五人はともに、歓声を上げて冷たいスイカにしゃぶりついた。

おなかがいっぱいになり、縁台から松林へ移り、木陰に座って女子のおしゃべりが続いた。ところどころで男子も意見を問われた。また男子にとっては、笑うべきところで笑い声を上げることもおろそかにはできなかった。ラーラは頑張って日本語を操ろうとし、織香、司郎、大輔は、できるところは英語を使おうと、たどたどしく挑戦を重ねていた。

高校生らの近くに、二歳ほどの小さい女の子がよちよちと歩いてきた。少し離れて若いパパとママが、座席が空のベビーバギーとともに急ぐでもなくやってくる。

幼児がラーラに向かって言った。

「ハロー。アイム、トモコ」

トモコと名乗った女の子も、話の輪に入る。それが、幼児語でありながら、日本語も英語もすらすらしゃべるのである。そばの木陰からその父母が、おじゃましてごめんなさいね、ありがとうございます、と言いながら様子を見ている。トモコは、早苗の大きいリボンが付いた麦わら帽子が気に入って離さない。

「だめよ、トモコ。おねえちゃんにお返ししなさい。あなたのものじゃありません。Tomoko, it's not yours!」

母親がそう強く言うのを、早苗が止めた。

「お母さん、どうぞトモコちゃんが飽きるまで、その帽子で遊んでくださいな」

「すみません。それではあとで持ってきます。みなさんおられなかったら、この枝に掛けてお返しします」

砂浜を見渡せるような場所である。もしなくなってしまってもどうしても代わりがないというものでもない。自分も気に入っているが、トモコちゃんも気に入ってくれたのなら、飽きるまで遊んでちょうだいね。早苗が言った。

「はい。お持ちになっていいですよ。じゃ、もしあたしたちどこかにいってても、ここに掛けてくださいな」

「ありがとうございます」

母は喜んで礼を言った。早苗は上品な人たちだな、と思った。両親、またはどちらかが研究者かもしれない。早苗はそんな気がした。

しばらく休憩状態が続いたところで、ラーラが言った。

「みんなを案内したいところがあるのよ」

「着替えたほうがいい？」

と大輔が尋ねた。

「いいえ、また泳ぐかもしれないから。上に服を着るのはいいと思うけれど」

「わかったわ、ラーラ」

水着は肌のうえでほとんど乾いていたので、彼らはそのうえにシャツを羽織ってパンツをはいた。早苗は砂浜を見渡したがすぐにはトモコちゃんが目につかない。麦わら帽子はまたあとで取りにこよう、と思った。

五人はラーラのメルセデス・ベンツで、海水浴場隣接のハーバーにあるマリーナに乗り付けた。パーキングからクラブハウスにそろって移動した五人は、そこで、黒服にサングラス、髪は栗色の男に出会った。

「用意できてる、デリック？」

ラーラが尋ねると、カウンターの向こうから出てきたその男が答えた。

「できてますよ、ラーラ」

「じゃ、早速、お願い」

「はい。ボスが私に同行するように言いましたが、一緒にいってもいいですか？」

少し考えた様子のラーラが答えた。

「じゃ、お願い」

「イエス、マム」

「こちらはデリック。このマリーナの人だけど、父の仕事とも関係があるの」

どんな関係だろう。いつか教えてくれるかもしれない。

「デリックです。よろしくお願いします」

デリックは上手な日本語を使い、サングラスをはずすと手を差し伸べて織香、早苗、司郎、大輔の順に握手した。がっしりとした手のひらだ。その彫りが深く精悍な顔立ち、理智的なムードを漂わせる両眼は、見る人を引き付けるようだ。身長は、大輔よりも高く、百九十センチほどに見える。ヘアスタイルは、生来の美しくカールした髪を短く刈りそろえている。織香も早苗もデリックに手を取られて頬を染めている。デリックはまたサングラスを顔に戻した。

「シドニー…、「野のユリ」の…」

頰を赤らめながら早苗が声を漏らした。

「なあに、早苗?」

と織香が言うと、早苗は小さな声で答えた。

「ううん。なんでもない。彼、あたしの好きな俳優に似てるから…」

「そうなのね」

織香はそう言った。

ラーラに付いていくと、全長が二十メートルほどある豪華なモーターボートが船台に乗って並んでいる区画へきた。

「サア、ノリコミマショウ」

立てられたタラップをラーラが上っていく。真白な船体のスターン(船尾)から、彼女に続いて織香、早苗、司郎、大輔、そして黒服サングラスの男が乗り込む。

「怖えぇ〜!」

大輔がタラップの頂上まできて、猫が背を丸めているようにしがみついて不安そうな声を上げた。その後ろから上ってくる黒服が、その声をいぶかっている。

「俺、蛇も蜘蛛も、カマキリもムカデもお化けも怖くないけど、高い所だけが怖いんだよー」

「Grip that stanchion of the boat!〔そのボートの手すりをつかみなさい!〕」

黒服が手を伸ばして、タラップにしがみついている大輔の左手をそちらに向けようとした。体は大きい大輔だが、体が固まって小さく見える。

「シロー！　ダイスケの左手に手すりをつかませて」

と早苗が言った。

「ダイスケ。どうして梯子を上る前に言わなかったんだ?!」

司郎がただそうとすると、大輔が答えた。

「みんな軽々と上っていくし、つられてきちまったんだ。下からはそう高いとは思わなかった」

確かにそのボートのハル（船体）は、頭の上にある。地上から手を伸ばせばボトム（船底）は織香らの手の届く高さにあるが、船台上にある艇に乗り込もうとすると、人の目の高さは七メートル程度にはなるだろう。

「ほら、ここを持って、脚をこちらにかけて乗り移れ。そおっと、だぞ。タラップを蹴るなよ。蹴れば倒れる。おまえは落ちる」

「わかった、わかった。司郎、脅かすなよ」

大輔は船尾を通ってデッキに乗船した。続いて乗船してきたデリックが流暢な日本語で大輔に言った。

「そちらのドアの内側のキャビンへ入るといいですよ」

「はい」

大輔は、すごすごとその指示に従った。

コックピット（操舵席）では、ラーラが舵輪の前に座って、電源を入れてメーター類を確かめている。

「これって、すごいわ。ラーラは船舶の操縦免許ももっているの？」

と、その背中から早苗が聞いた。

「ええ。十六歳になってライセンスも取ったけれど、あたしは、小さいときから父のヨットでシムコー湖をセーリングしてたわ」

シムコー湖は、琵琶湖以上に大きいカナダ・オンタリオ州の湖だ。ラーラが答えるのを、念のために早苗が和訳した。

「この船に乗り込んだだけで見るのもびっくりなんだけど、あたしたちどこまでいくのかな。きょう、帰ってこられるのかしら」

織香が感想を口にすると早苗がラーラに尋ねた。

ラーラは、

「どこにいくのか、は「サプライズ」。お日さまは沈んでからだけど、たぶんまだ明るいうちに帰港できるわ。それからあたしが車でみなさんのおうちまでお送りするから、早い人は八時半には、おうちに着ける。帰港したら、ハーバーから念のために、みなさん、おうちへ電話してくださいね」

一九七七年には、携帯電話やスマートホンというものはない。固定電話と電報だけが旅先と出先からの即時の連絡方法だった。

「はーい」

と四人が返事したとき、デリックがコックピット外のデッキで、下へ向かって何かを叫んだ。

「サア、ウゴクヨ」

「えーっ！　こんな地上からこのボートは動くの？」

早苗が、大輔が叫んだ疑問の言葉を英訳すると、ラーラが笑いながら答えた。

「この船は空を飛べないし、地上も走れないわ。トレーラーが船台を牽引してくれるのよ」

「なあんだ」

と司郎が感想を漏らした。

「ええ、実はあたしもそう思った…。安心したー」

と織香も言った。

「こんなに次々にいろんな物を見せてくれて、乗せてくれて、なんだか、友達になれる宇宙人とか、魔法のランプから出てくる魔神みたいだわ。だからあたしも、「動く」って聞いて、飛び上がるのかと思っちゃったわ」

確かにピンクレディーの「ＵＦＯ」がリリースされたのはこの年だ。それを思い出したのかな、と思いながら司郎は、

「そんなばかな。飛ぶなんて」

と笑った。

「船台が引かれると船は揺れます。気をつけて」

早苗は、ラーラが言ったことを日本語で繰り返した。

外から、

「動きまーす！」

という声が聞こえ、船が揺れ始めた。

「みんな、これを着てちょうだい」

「エブリワン、ウエア…。何だって?」

と大輔が日本語でつぶやく。

「ライフジャケット、ですって。ラーラも着ているわ。あんなふうにして」

織香が言って、率先して身に着けていく。

船台はハーバーの岸壁に据え付けられたテーブルリフター(揚降設備)に移動して海面に下降し、着水した。船首に立つデリックが手を上げて合図し、ラーラが船の機関を操作する。

「エンジン始動」

ディーゼルエンジンがかかり、冷却水が海面に吐き出され始める。それをデリックが見届けて、また合図する。

「微速後進」

ギアがバックに入って、船がゆっくりと後退する。もとより船首が岸を向いているので、船は沖に向かっている。十分に岸を離れたところでシフトを前進に入れ直し、ボートは向きを変えていく。

「シロー、これ、「セクスタント」よ。日本語で何て言ったっけ?」

と英語で言ったラーラが、六分儀をケースから引き出して司郎に渡した。見たことがある。太陽の高度を計って、緯度を測定する計器だ。仕組みが複雑だな。この取扱説明書、全部英語で読めないや。

「だいすけ。コレハ、れーだーデス。コレハ、れんじ（拡大率）ノのぶ。コノ画面、ミテテネ」

「了解」

「サア、シュッパツ。ミンナ、ツカマッテ！」

とラーラが日本語で叫んだ。

9　フリーダイビング

エンジンが轟音を上げ、船首が宙に浮いてボートが加速する。船上の人たちの身体がボートの後ろの方向にのけぞってしまう。

「キャーッ！」

「すっごーい！」

それを聞いたデリックが、バース（寝台兼用座椅子）に腰かけてほほ笑んだ。デリックの白い歯は印象的だな、と早苗は思った。

水しぶきを蹴立ててボートが進む。

「速（は）っやーい！　これ、スピードメーター？　時速三十キロ？」

「いいえ。三十ノットよ。時速五十五キロくらい」

少女ラーラが操舵するボートは四十分ほど沖へと航行した。途中で陸地が前にも後ろにもまったく見えなくなる。

「海の真っただなかだー」

と織香が言った。

「もう何キロきただろう。十五分ばかり走ったから、岸からは十三キロくらい沖かな」

「天候もよくて、風も強くない。よかったですよ」

デリックが上手な日本語で言った。

「もう見え始めますよ。ラーラの目的の場所が」

「これ、島だよね」

大輔がレーダーの画面を見ながらラーラに聞いた。

「ソウデス、ソノシマデス」

前方に島影が見えた。

「この島が大好きなの。この海域を父と回ったときにひと目惚れした島よ。そして、あそこに見せてあげたいものがあるわ」

ラーラは、地球にきたばかりなのにとても詳しい。それは、彼女の宇宙船イアハート号の機動力と情報収集能力によって得られた知識に負うものだった。

この島へは、陸地から長い橋をかける計画があることも、イアハート号はつかんでいた。巨大な「夢の発電所」を建設することが計画されている。しかし、その計画について伝えることも、高校生たちに意見することも、ラーラには許されていなかった。アトランタや、銀河首都トランターを含む何万もの星系間で批准された法（条約）が、それを許さなかったのである。

「え〜っ、ラーラが好きな島？　それは楽しみ」

「何だろう。ワクワク」

「無人島だね」

「海水の透明度が高いわ。海中に大きな魚が見える」

「向こうのあれ、見て。イルカじゃないの？　何頭もいるわ。ほら、ジャンプした。こっちでも」

何頭ものイルカの群れがボートを取り囲んで泳いでいる。

「イイデショウ？」

「このコたちのこと?、ラーラが見せたかったのは。すてき！」

島が近付いてくる。

「こうして、こちらの入り江に入るわよ」

ボートが回り込んだ無人島の入り江は、海水がとてもきれいに澄んでいる。岸辺には砂浜が広がっている。

「ツイタワ。キレイナイリエデショウ？」

続いて早苗たちが英語でやりとりしている。

「すてきよ！　ラーラ」

「あなたはどうしてここを知っているの？」

ラーラがさっきも父ときたことを言ったが、織香はそれを確かめなおすようにラーラに尋ねた。

「父ときたことがあるのよ」

「それはお父さまのお仕事に関係して？」

早苗も聞いた。

「そう。父がここを知ったのは調査する仕事で関係があったらしいわ」

「ねえ。この水に入ってもいいかな。気持ちよさそう」

織香がラーラにそう提案すると、早苗も賛成した。

「ほんとだね。海のなかも見たいなあ」

「オーケー。デリック、お願い。アンカリングするわ。ありがとう」

ラーラはデリックに投錨を頼むと、クローゼットの扉を開き、収納されている容器からシュノーケル、ゴーグル、フィン（足ひれ）を取り出した。

「いい？　きょうはみんな、水泳着のうえにこのライフジャケットを付けたままで泳いでね」

早苗が念のためにラーラの話すのを通訳してくれる。

「潜れないよね？」

「頑張ったら五メートルくらいは潜れるのだけど、海面から海中を見ることを中心にしてね」

ラーラが、マスクとシュノーケル、フィンを着けて見せる。また、織香が率先して次々にゴーグルを自分の顔に当てて大きさを確かめている。息を止めて顔から落ちないマスク。ちょうどいいものを見つけると、織香はシュノーケルを自分の顔の左に着けてフィンもいい大きさのものを選んだ。

「おりがハ、ケイケン、アルノネ？」

ラーラは日本語で言った。

「ええ。サナエもよ」

「オーケー。じゃ、シロー、ダイスケもマスク着けて」

「オッケー！」

「いいね、いいね、これは」

「ライフジャケットを着たら、みんなこちら、船尾にきてね」

早苗がラーラから聞きながら説明してくれる。

「あのね、念のために耳抜きのこと、説明するわね。きょうはそう深くは潜らないと思うけど、水圧で耳では鼓膜が内側、…中耳側に押し込まれるので、鼓膜内の圧力を保つためにこうやって鼻をつまんで、鼻から息を外へ出そうとイキむのよ。海へ入ってからでもいいので、やってみよう」

早苗が説明を続ける。

「ウミガメに会っても触らないように。それからサンゴを踏みつけたりしちゃいけません。大切な生き物だから」

司郎も大輔も熱心にそれを聞いた。

「オリガもあたしも、ライフジャケット脱ぎたいんだけど、でも万一に備えて着たままにしましょう。それから、少し不自由になるけど、このロープをそれぞれライフジャケットのバックルに結わえてちょうだい」

そこでラーラが言った。

「コノヨウニ、ムスビマス。ボウリン・ノット」

「ボウリン結び」

見よう見まねで四人ともロープを結わえ付けた。それぞれが二十メートルほどの細引きだ。そうして、ラーラを先頭に、織香、早苗、司郎、大輔がスターン（船尾）の端からするすると海中へ入った。ボートにはデリックが残って、ロープが絡まらないように仕分けしてくれた。

その海中は、心を揺すられる美しさだ。とくに、少年剣士二人にとっては、このスキンダイビング（素潜り）という初めての体験は衝撃だった。海面から顔を上げなくてもシュノーケルを通じて続けて息ができる。海中をにらみながら、何分間でも浮かんでいられるのだ。また、いま見ているこの水域は、無人島の遠浅の先にあり、海底までが十メートルばかり。透明度が高い海水を通して、海底までも周囲もとてもよく見渡せる。普段いく海水浴場の岸辺では望めない景色だ。

サンゴが見られる北限は太平洋なら関東東岸、日本海なら壱岐あたりとされる。いま、司郎たちが見ている海中もなだらかな海底に、岩礁があれば珊瑚も広がり、ワカメ、昆布、水草などの海中植物に無数のプランクトン、それを捕食する小魚、これを追う魚群、きらびやかな模様が展開されている。

「俺って、浦島太郎が見たものを見てるよ」

と、司郎は思った。飽きない。

よほど「水が嫌いだ」「海が怖い」という人でなければ、シュノーケリングで海底をのぞいてその景色を嫌いになる人はまずいない。大水族館の巨大な水槽を泳ぎ回る魚など水生生物を眺めることも楽しいが、直接に水中を経験することはその何十倍も楽しいと思っていい。始めたばかりの人でも、普通は本当に時間が許す限り何時間も何時間も続けられるものである。海面に浮いている時間が長いので、専用のスーツを着用しない場合、背中をやけどしないためにTシャツを着用するなどの工夫をするのがいい。司郎もすっかり海中の世界に魅了されていた。

司郎は、潜る努力を少ししてみる。

「潜るときは、ヘッドファーストよ」

と織香がアドバイスをくれる。織香は、司郎の先に見本を示すように動作する。頭を下に、はじめは腰を直角に曲げ、続いて頭を下にしたまま足を水面から上げて真上に伸ばす。すると体が自然に沈もうとする。ライフジャケットがそれを妨げようとするぶん、両手を大きく掻く。足までが水没し、フィンが水面下まできたところで、膝を曲げずにフィンを左右交互にできるだけ大きくキックする。海中への推力がついて潜水が始まる。同じように潜水して、ラーラが二人を見守る。

すぐ脇に海底から突き出している岩礁の一つがあり、司郎はそれに近づいた。名前を知らないたくさんの小魚がマスクの前を泳ぎ過ぎ、岩肌にはエビやナマコが見える。サザエもあればアワビもウニの棘も動いている。

織香とラーラが親指を上げ、マスクのなかでにっこりと笑ってくれている。

そのとき、織香がシュノーケルを口から外すと、口から泡の輪を吹いた。その細いドーナツの輪は、織香の前方へ進みながらその直径を広げていく。すると、フィンをキックしてその輪を追いかけた織香が、輪の径が五十センチばかりに広がったところで追いつき、飛び込み選手のように両手を先頭にしてその輪にもぐり込み、輪よりも速いスピードでこれをくぐる。上半身がくぐったところで仰向けになり、腰を曲げて海面に向かうと、足の先まで輪を通過した。司郎は目を見張り、ララーラは両手の拳を何度も打ち付けるジェスチャーで織香に喝采を送っている。

息が続かない。司郎も海面に戻った。

海面では、早苗が大輔を看ながら二人で浮かんで、…なんと、手をつなぎ合っているではないか。

「オリガ！　スゴイワ！」

ラーラは、そう言いながら、司郎の手を取り、もう片方の手で大輔の片手を空けさせて握った。見ると織香が近づいて司郎の空いている手を取り、もう片方の手を早苗とつなぐ。五人は直径三メートル弱、円周八メートルばかりの輪を自分たちの身体で海面に描いたのである。

「海って、すごいね！　感動したよ」

と司郎が言う。

「おりが、マタミセテネ」

と、ラーラが織香の素晴らしい技を褒めそやして言う。

「ふふふ。いつでも」

とオリガが返事した。

「ミテ、ユウヤケガ、ハジマル」

ラーラがそう言って、日が沈もうとする方角を見た。みんなの目もそちらを見る。

「きれいだわ」

織香がそう洩らした。

「素晴らしい景色だね」

司郎がそう言うと、

「う〜ん。これはいい」

と大輔も感嘆する。

「帰りたくないなあ」

大輔の声を聞いて、早苗がポツリとそう言った。

「デハ、ぼーとニアガッテ、ユウヒヲ、ミマショウ」

ラーラがそう言って五人の輪から手を離し、ボートに向かって泳いだ。

五人ともにボートに上るとデリックがジンジャーエールを配った。

「ありがとうございます」

早苗がデリックに礼を言った。

「どうでしたか？　この海は？」

とデリックが聞く。

「よかった！　海のなかがこんなに素晴らしいとは、きょうまで知りませんでした」

司郎が返事をした。

「いいでしょう?、海は。私は商売でもあるからですけれど、きれいな海を守りたい。ラーラのお父さんも、そういう立場から世界の海を調べていますよ」

「そうなんだね、ラーラ」

司郎がラーラに向かってそう言ったが、ラーラはほほ笑んだだけで、司郎に向かって特に返事をしなかった。

夕日が傾いていく。空が染まっていく。海が驚くほど大きな太陽の、オレンジ色の光をさざ波に反射させて美しい帯を広げている。

「エエ。コレヲ、ミテホシカッタ…」

ラーラは、もっと何か言いたそうにも思われた。しかし、その言葉はとぎれた。

「そうね。本当に美しい海。素晴らしい景色」

織香が心底打たれたようにそう口にした。

「地球って、きれいだね」

大輔がそう言った。それを聞いたラーラが、

「アナタタチハ、ソレヲ、マモラナクチャ」

そう言って、大輔にウインクした。そのウインクを受け止めた大輔がラーラに尋ねた。

「「あなたたち」って？　それはどういうこと？　ラーラだって一緒でしょう？」

早苗からそれを通訳されたラーラは、あわてたそぶりで言い直した。

「ゴメンナサイ、ダイスケ。「ワタシタチ」デス。チキュウヲマモルノハ、ワタシタチデス」

そう言うラーラの顔が少し心苦しそうに見えたのは、大輔だけだったのだろうか。

「太陽の高度はもう〇度を切った。きょうの日の入りは午後六時五十九分。そろそろ引き揚げるの

がよいと思います」

とデリックが言った。

「オーケー。ユウヒヲ、ミナガラ、カエリマショウ」

ラーラはそう言って、デリックに指示した。

「デリック、日が沈んでもまだ暗くはならないけれど、そろそろ引き揚げるわ。帰りはあなたが操舵してください」

「イエス、マム！」

デリックはそう答え、司郎と大輔に手伝わせて揚錨した。そして彼は、コクピットで舵輪についた。

「帰投します」

デリックはエンジンを始動し、ギヤを入れてボートを前進させた。

ラーラほか高校生の五人は、キャビン外のデッキに座って、飲み物を片手に夕日が沈む景色に見入っていた。ラーラは最近覚えたらしく、先に立って「夕焼け小焼け」を歌い始めた。四人はしばらく聞いていたが、誰からともなく声を合わせていった。「赤とんぼ」「うみは広いな」がそれに続いた。五人は歌いながら、ボートの航跡に、夕日が美しくくだけるのを眺めていた。

10　ただいま帰りました

沈む夕日を楽しむ司郎らを乗せたボートは、デリックの操舵でハーバーに帰港した。テーブルリフター（揚降器）で陸揚げされ、トレーラーで保管定位置に戻ったボートでは、もう一度、「高所恐怖症」大輔の受難が繰り広げられた。しかし、「行き」の大騒ぎに比べると、「帰り」の大輔は落ち着いていた。乗船時にタラップの上端で猫のように背を丸めておびえていた大輔に手を貸したデリックでさえも、そのことを忘れてしまっていたくらいだった。下船時の大輔はタラップの「高所」に動じなかった。…ように周りからはうかがわれた。その実、大輔の内心には二つの考えが渦巻いていたのである。「高い所は怖い」けれど、「また乗せてほしい」という。希望が怖さを凌駕したのが本当のところだった。

その大輔の奮闘は、もう一つ次の場面でも示されることになる。

「ミンナ、ノッタ?!」

ラーラが、メルセデスのハンドルをつかんで言った。

巨漢の大輔が前部右側助手席に。後部座席には進行方向に向かって左から、早苗、織香、司郎の順に座った。

「デハ、イキマショウ！」

車が滑りだす。デリックが見送りの手を振ってくれている。

「ラーラ、あなたのお父さんたちはどうやってお家へ帰るの？　車にはあたしたちが乗ってしまった…」

と、織香が気を回して尋ねた。

「ダイジョウブ…」

ラーラが説明しようとすると、大輔が口を挟んだ。

「オリガ、ラーラがボートで出発するときに教えてくれたよ。ほかのご用のために、違う車で移動されたんだって」

「そうだったのね。じゃ、安心」

口に出したように織香は安心した。

「オクルジュンバンハ、ダレガイチバンガ、イイデスカ？」

「ラーラ！　真っ先に隣の海水浴場へお願い」

と織香が言った。

「あっ。そうだ。あたしの麦わら帽子。トモコちゃんに貸してあげた…」

早苗も気づいて言った。

「オーケー！」

ラーラが海水浴場のパーキングにベンツを向ける。

日が落ちて、あたりは真っ暗ではないが、街灯がつくかつかないか、薄暮の時間帯だ。波打ち際に近い砂浜で、花火を打ち上げているグループもある。「海の家」に宿泊する客たちだろうか、酒盛りを始めている男女もいる。

もの寂しいパーキングに入って、ラーラが言った。

「デハ、ココデ、マッテイテ、イイデスカ？」

車はこれ以上進めない。目の前に松林がすぐに始まっている。目的の場所までは木立を抜けて百メートルばかりだ。

「ありがとう。あたし、いってくる」

と後部左ドアを早苗が開けた。

「あ、あたしもいくわ」

織香も車を降りて早苗を追いかけた。

夕闇が迫りあたりが暗くなってくる。

しかし、…二人が帰ってこない。

「ドウシタノカシラ。オソイネ」

そう言ったラーラが、エンジンを止め、左ドアを開けて車の外へ出た。彼女はドアを閉めて、背中でそれにもたれかかる。あたりがさらに暗くなる。司郎と大輔も続いて、前・後部の右ドアを開けて車の外へ出た。

「大丈夫と思うけど、俺、いって見てくるよ」

と大輔が言って松林に向かおうとする。そこへラーラが大輔の背中に声をかけた。

「ダイスケ！」

ラーラが、取り出したハンドライトを車の向こう側から放ってよこした。それをキャッチできるだけの空の明るさは、まだあった。

「キヲツケテ」

ラーラは、にっこりとして、ウインクも送った。

「じゃ、すぐ戻る」

そう言って大輔は、まだハンドライトをつけないまま、松林のなかへと駆けていった。

大輔の姿が松林のなかに消えたとき、その方向から何か人の声が聞こえた。

顔を見合わせるラーラと司郎。

「誰かの悲鳴？　ラーラ、僕もいってくる」

そう言って司郎も駆けだした。

「ワカッタ」

ラーラがそう答えると、司郎がそのラーラに向かって叫んだ。

「ラーラ！　車のなかで、内側からロックして待ちなさい！」

そう英語で。

「シローー！　キヲツケテー！」

とラーラが日本語の返事を投げ返した。

暗さが増す松林のなかを駆けながら、司郎は気づいた。もしこれが、何人かのグループが示し合わせて仕掛けてきていることなら、彼らは巧妙だ。はじめに女子を引き離し、それを心配する男を一人ずつ減らしていく。俺たちは完全に術中に落ちている。本陣に目標があるなら、背中のララこそいま狙われるだろう。

案の定である。背中から司郎の耳にララの悲鳴が届いた。

その少し前。早苗は車をあとに、松林へ入って歩きながら思った。トモコちゃんは、かわいかったなあ。あのお父さんお母さんのカップルはすてき。一人娘を海辺へ連れてきたんだな。

「早苗。あたしもいくわ」

織香が追い付いてきた。

「ありがと」

「きょうは、本当に楽しくていい日だね」

織香の言葉には心のこもった様子がうかがえる。

「ねーえ。そうよね」

「鷹峯くんを誘うことにしてよかったね」

織香は、自分の提案に早苗が賛成してくれたことを高く評価した。

「うん、うん。樋口くんを連れてきてくれたのもよかったわー」

早苗は、司郎の選択をこれも高く評価した。

「鷹峯くんは普段トランペット吹いてるのに、剣道もやってたのね」

織香は、あらためて発見したかのように、その感想を漏らした。

「そうそう。それらしいことは知ってたけど。あの大きな樋口くんとも一緒に「道場破り」して回ってたなんて、びっくりよ?」

と、早苗が口を挟むと、

「ねー。本当。驚きだわ」

と、織香がうなずいた。

「それから、ラーラが自動車もモーターボートも運転するなんて、これにも驚いたわ」

早苗がいかにも、と自分でうなずきながらそう言った。

「ほーんと。そして、ラーラのお父さまが見つけてくださった無人島の入り江。イルカも魚たちもすてきだったー」

織香の感動は深い。

「ねー。そうよね。あんな島が近くにあったなんて、ちっとも知らなかった。この岸辺には何度もきたことがあったけど…。きょうは本当に楽しかったわ…」

「そうだよね。浜辺で泳いだりするけど、海に乗り出すことは、めったにないものね」

司郎がそう言った。

そのとき早苗が、松の枝に掛かった大きなリボンが付いている自分の麦わら帽子を見つけて言った。

「あったー。トモコちゃん、ちゃんと返してくれてたわ」

早苗が麦わら帽子を枝から取って胸に抱えた。

「よかったー。本当にきょうは楽しい一日だった…」

織香が言い終わる前に、脇から男の声がした。

「そうそう。いまから、もっともっと楽しいことが始まるよーん」

見ると、たばこをくわえたまま、こんなに暗くなってきたのに黒メガネをかけ、前開きのけばけばしい花柄シャツを着た一人目。迷彩色のシャツで胸と腹をはだけた二人目。暑いのに腹巻きだけは着用して袖からはタトゥーが入った腕をのぞかせ、パンチパーマのうえに野球帽をかぶっている三人目。そして、リーゼントをこれ見よがしに強調して肩を揺すらせる者を入れて、四人の男たちが織香と早苗を取り囲んでいた。

「あ、あたしたちに、な、何のご用でしょうか」

消え入りそうに織香が言った。

「兄貴のお見逃しがあってねえ」

「ご用じゃねえんだよ。俺たちと楽しい楽しいことをするんだよ。ちょうどいい暗さになってきた。砂地で仲良くするのはいいもんだぜえ」

「おーっと、そういうことは、生まれてこの方、お二人さんはまだ一度もケーケンしてないかもしれねえな」

「何うれしいこと言ってやがんだ。そんな俺たちに都合のいい気持ちいいことなんかあるもんか。

今日日(キョービ)の高校生なんて、もうとっくに経験ずみよお」

「えーっ⁈　どうなんだい、ねえちゃんよお。もう経験ずみなのかい。それともきょう初めて俺たちの…」

早苗は思っていた。周りの男たちが何やら自分たちを愚弄することを言っている。何を言っているのか、もう正確には理解できない。頭まで血がのぼる。体中が熱くなって汗が噴き出してくる。この男たちがあたしたちに乱暴なことをしようとしていることだけは伝わってくる。叫ばなきゃ。叫ばなきゃ。

織香は、すごもうとする。

「あなたたち、どこのどなたか知りませんが、あたしたちが誰なのかわかっているの？　ひどいめに遭うわよ」

「ふーん。そいつはどんなひどいめなんだい？　こんなことかなー？」

と言った男が、つかつかと歩み寄り、早苗の上膊を驚くほど強い力で握り締めた。

「キャーーーーー！」

絹を裂く早苗の声が木々に跳ね返ってこだました。もう一人の男が今度は織香を後ろから両手で抱え込んだ。

「な、何をするんですか⁈」

「おー、柔らけー！」

「それにフェロモンかい？　香水かい？　いい匂いをさせてるぜ」

「髪も首筋もいい香りだ。こいつはきっと、未経験の極上もんだぜー」

「ばーか。それがおまえの世の中、わかってねーところなんだよ」

「細っせー腕じゃあねーか。折れないように気をつけなくちゃなー」

早苗が男の手をふりほどこうと身をよじる。

織香が後ろから抱きついてきた男に後頭部でヘッドバットをくらわせようとのけぞるが、当たらない。逆に伸び上がった織香の首筋に、もう一人の男の手が伸びて、生臭い息が近づいてくる。織香が髪をつかまれた。

「見ろよ。このいい匂いのする真っ白な柔い首筋。吸血鬼がこういう女の首筋に牙を立てて血を吸いたくなる気持ちがわかるぜ」

それを聞いて別の男が言った。

「てめえはよ。ハナシがオヤジくせえんだよ。シノゴノ語ってる場合かよ」

それを聞いて少しひるんだ男が、また気を取り直して織香に向かってすごんでみせた。

「それでおまえが言った、あれはどうしたんだ。「あなたたち、ヒドイメにあうわよー」って黄色い声で言ってたのは？」

男の腕が織香の胸に伸び、もう一人がその首筋に噛みつこうとし、さらにほかの男が早苗の下腹部に手を伸ばそうとしたその瞬間に、耳を聾する大声が響き渡った。

「こういうことなんだよ、ヒドイメというのは！」

その声が終わって一瞬ののちに、早苗に群がっていたうちの一人の男が自分の頭を押さえてくずおれ、もう一人が自分の股間を押さえてうめき声を上げ、織香の胸に触れようとした三人目の男の右手の甲は驚くほどに膨らんで激しい痛みの信号を持ち主の脳に送り、身体はストライキを起こし、脳の判断とは無関係に砂の上に頭頂からつま先までのすべてを横たえた。さらに四人目の男。何の打撃も受けなかったのだが、恐ろしいほどの早業がおこなわれた結果、自分を含む一派の身の安全は既になく、いつ命を奪われても、いつ骨折や内臓破裂をはじめとする重傷を負わされてもおかしくないという立場に転落したことを悟って、尻もちをつき、ヒイ、ヒイ、と声を上げながら、ズルリズルリと砂の上をあとずさっていく。砂浜に現れたそのシーンを見て、早苗と織香が叫んだ。

「樋口くん！」

「ダイスケー！」

突然現れた大輔に二人はすがりついた。

「大丈夫。もう大丈夫だ」

大輔が「得物」、…驚くほど細い五十センチばかりの枯れ枝を砂の上に捨てた。

「怖かったよー」

「死ぬかと思ったー。何だったの、この人たちー」

織香も早苗も大声を上げて泣いている。

「さあ、いこう。鷹峯もラーラも待っている」

大輔がそう言って、リボンが着いた麦わら帽子を胸に抱き締めている早苗を自分の左肩に座らせるように担ぎ、織香の肩を右手で抱きながら松林を帰ろうとしたとき、

「て、てめー。いいかー。お、覚えてろよー！　あとでほえ面かくんじゃねえぞー」

と悪態を吐く男の声が聞こえた。そこで大輔が、その男を振り返り冷たい目でにらみつけた。

「て、てめー。…てめーは、く、くそっ。よ、よくも、よくもやってくれやがって…」

言葉がやんだので、大輔がまたもとのように帰り道をめざそうとすると、また男の声がした。

「お、覚えてやがれ。兄貴や、御大に言いつけてやる。おめーらの命はねえ。忘れるな。覚えてろよお」

「覚えたわよ、その小汚い顔は！」

早苗はそう言って、尻もちをついている男をにらみつけた。織香は、その男に蹴りを入れるまねをした。それを見た男は「念波」でも食らったかのように、また後ろに尻もちをついた。

三人はそれをあとに、パーキングに向かって歩いていった。


「ラーラっ！」

司郎がパーキングに駆け戻った。最初に悲鳴があった松林には大輔が入った。大輔のことだから大事はないと思う。大輔、そちらは頼むぞ。こちらも、すぐにことを納めてそちらに向かうから。

「シロー！」

ラーラは二人の男からメルセデスのボンネットに、上半身をうつぶせに組み敷かれ、長い髪をつかみ上げられている。男は四人だ。

「言え、おまえはどうして「プロジェクト」を知っている?!」

そう英語で問いかけていたのは、黒いスーツに蝶ネクタイの細身の男だ。組み敷かれたラーラを、蝶ネクタイは、ナイフを持って脅している。

「何のことを言っているの！」

ラーラがあらがっている。

「取り逃がしてしまったが、おまえはあの学者の仲間なんだろう。ホーシャセンボーゴガクとか言ってたなあ。核分裂が生み出す力で発電所を作ることは、この国の進む道なんだよ。議員の先生だってそう言ってらっしゃるんだぜ。手を引きな」

「あたしたちは何もしていないわ」

「嘘をつけ。学者の家族と仲良くやってたじゃないか」

そのとき、もう一人の男が言った。

「兄貴、この女の連れが戻ってきやしたぜ」

「シロー！」

「チッ。襲いかかるのが早すぎたか。しかし、もう少し待っていたら、この女は車のドアを内側からロックするところだったからな。しょうがねえ」

「兄ちゃんよ。悪いことは言わねえ。おまえには何もしねえでおいてやるから、少しそこに座って見てな。俺たちがこの女に聞きてえことはすぐにすむんだ。おい、マサ！」

マサ、と呼ばれた男が、蝶ネクタイから言いつけられた。

「マサ！　この兄ちゃんが何もしないように見張ってろ。まあめったなことをしそうな面構えじゃあねえがな」

司郎の表情は読めない。駆けてきた司郎はまだ何も声を発していない。男らは、自分たち暴漢の存在に気おされて、この兄ちゃんは逃げ去る度胸さえもなくしてしまったと思っている。

「シロー！」

ラーラが懇願するような声を出す。

しかし司郎は、蝶ネクタイの、ナイフを持つ手元をにらんでいる。素手の相手と武装した相手とでは、そもそもの仕切りが異なるのだ。「得物」、つまり武器の行方、その使い方をよく見定めること。使い手がその使い方に熟練しているかどうかも大きな分かれめだ。

蝶ネクタイがラーラに向かい、英語で何かを問いただそうとしてまた声をかけた。それにあらがってラーラがボンネットの上に身を揺らせている。

「なぜ言わねえ。この女。見た年のわりにただもんじゃねえな」

そう一人ごちた蝶ネクタイが、ラーラを組み敷いて髪をつかみ上げているちんぴらの男たち二人に向かって言った。

「いいぜ、やりな」

「イーーヤッホォーウ！」

「兄貴のお許しが出たぜ」

「よーし、まずこの女を仰向けにしろ。見なよ、このふくよかな胸を。締まったウエスト。むっちりした尻。俺、見てるだけで逝っちまいそうだぜ」

「俺はまず、この女のここを拝ませてもらうぜ…」

　男らがラーラをなぶろうとするのを唇の端を曲げて見ていた蝶ネクタイが、折り畳みナイフを閉じて自分の胸ポケットに差した瞬間、背後でヒューヒューと笛から空気が漏れるような音が始まった。

「そんなに拝みたいなら、まずは、こっちを拝んでみな！」

　蝶ネクタイが振り返ると、目の前には、見張り役のマサが片方の肩をはずされて腕をだらりと前にぶら下げている。顎も外され、声帯が歪んだために、叫ぼうとするが声にならず、鞴が鳴るように口から息を漏らしていたのだ。そのマサは後ろから首を片手でつかまれて吊るし上げられ、突き付けるようにされて蝶ネクタイのほうへ進んでくる。

「マ、マサ、てめえ何してやがる！」

　そう叫んだ蝶ネクタイは、マサの身体が自分に覆いかぶさってくるのを避けられず、ベンツの脇に転倒して後頭部をコンクリートの地面に激しく打ち付けてしまった。蝶ネクタイは、自分の上でもがくマサと呼ばれた男の尻に敷かれたまま、気を失って微動だにしなくなった。

　その様子を目を丸くして凝視していた二人の男は、それぞれの顔にラーラから正拳のパンチが打ち付けられた。それだけで腰を抜かして、二人は動けなくなった。

「ラーラ！　僕と一緒にきて。織香たちを助けよう」

　腕まくりしてポーズをとっているラーラに、司郎がそう呼びかけた。

「ワカッタ！」

とラーラが司郎に従おうとすると、松林から、織香に手を引かれて早苗を肩に乗せた大輔ら三人が現れた。それを見た司郎が叫ぶ。

「ラーラ！　運転席へ！　ダイスケ！　急いで乗車しろ！」

大輔が、駆け足で車に乗り込みながら言った。

「こっちも派手にやったんだな」

「おまえ、大丈夫だったのか？」

と司郎が尋ねた。

「まあね。最後の野々山さんのキック、すごかったぞ」

「ダイスケ、褒めるのはあとにして！」

そう言って織香が早苗を抱えて車に乗り込む。司郎は、マサの肩と顎の脱臼をそれぞれ「エイ！」とかけ声を上げながら元に戻し、蝶ネクタイに活を入れて息を吹き返らせてから、メルセデスに乗り込んだ。

「さあ、警察へ連絡だ。ラーラ、あの「海の家」の前につけて」

「ワカッタワ」

司郎が電話を借りて一一〇番をダイヤルする。こちらの場所、暴漢に襲われて命からがら逃げたこと、その時間を告げる。

「それはたいへんでしたねえ。それで、あなたの名前を言ってください」

「いや、名乗るほどの者ではないのです」

司郎には一瞬、高校に入学したばかりのとき、自分が「名もないくん」を演じたことが思い返された。

「もしあなたが名乗らないと、現場にいる暴漢たちは、あなたたちが不利になる証言をしますよ。するとあなたは傷害罪の容疑者にされる可能性が高い」

「わかりました…」

そう言った司郎は、そこで受話器を置いた。さっきの一幕は、急迫不正の侵害に対する正当防衛という違法性阻却事由に当たる。また、大輔の話を聞いても、「生死にかかわる」とか、骨折などの重傷を負わせてしまった暴漢はいない。一応警察に知らせ、現場に負傷者が残されたりしないないだろうか、という心配がなくなったので、これでいい。

司郎が礼を言って、十円玉を数枚渡そうとすると、店のおじさんが言った。

「坊ちゃん。危なかったねえ。いま電話で話すのを聞いておったよ。ハマーの連中、そんなことをしたのかい？　坊ちゃん、嬢ちゃん、無事でよかったわい」

「ありがとうございます。どういうやつらなんです？　ハマーの連中って？」

「あの連中なんじゃ。困ったもんじゃ。また何かが始まりそうじゃのう。わしらは迷惑じゃでえ。ほんまにのう。あいつらはのう。自分らで「ハマ」とか「ハマー」とか呼んどるな。時折このあたりを調べているようなもんがおるが、派が二つあるようじゃ。「賛成」とか「反対」とかかのう。その片方の先棒を担いどるんじゃ、こいつらは、はあ…」

「調べている?」

ともこちゃんのパパ、ママのことを言ってるのだろうか。それに、何に対して「賛成」「反対」なのだろう。

「わしゃ、ようわからん。ゲンシリョク、のことらしいがのう。自分で調べてみんされ」

「ゲンシリョク?」

司郎は、この親父さんが口にした言葉を、自分の口のなかでも唱えてみた。

「電話代はいらん。ミカジメ料やショバ代や…わしらをよういじめるやつらのことじゃからのお。少しでも押し返してくれたんじゃったら、こちらから礼を言いたいほどじゃ」

司郎はもっと聞きたかったが、このおじさんに迷惑がかかるようなことがあってはいけない、と考えてやめておいた。

「おじさん、ありがとう」

こうして、ラーラが運転するメルセデス・ベンツS450は、最初に早苗の家をめざして海岸をあとにしたのだった。

ところが、そこからカーチェイスが始まったのである。開通して延びつつある往復二車線のブルーラインという道路がその舞台になった。追われるのは無論メルセデス。これを追うのは十台ばかりのオートバイだった。

「ハマー」の連中は、もともとが、いわゆる非行少年少女たちだ。自分の意見を強くもっている場合でも、何らかの、本人に左右することができない理由によって、学校の先生や家族と十分に話し合いができない。それもあって、「周りから理解されない」悲しい環境におかれることがある。その場合でも、よく話を聞いてくれる大人や、年上のいい友人がいれば、「立ち直って」いくことができる。しかし、高度経済成長のもとで複雑化する社会では、「本当の友人」「信じ合える家族や集団」に恵まれない青年たちがこう言うのだ。「親身に声をかけてくれたのはあの人だけだった…」。それが新興宗教団体や、ヤクザ組織、それにつながる暴走族だ。そういった組織に「刈り取られ」ていく、という現象が広く起こっていた。

ここにいう「ハマー」の構成員も、暴走族がする共同危険行為に手を染めた青年たちだ。その彼らは、地方の反社会勢力の傘下に置かれる構造になっていて、その反社会勢力が往々にして、地方の選挙での贈収賄に携わったりする。また、新しいエネルギー産業を住民の健康や安全には無顧慮のままに推進しようとする、地方政治あるいは国政にもかかわる「地元の実力者」「有力者」の手先にされたりもするのだった。

反社会勢力の構成員のなかには、黒服・蝶ネクタイのような「インテリ」メンバーがいることがある。そういった輩や、一定数のリーダー格の下に組員が配置され、されにそれらの組員が、学校や地域社会から「脱落せざるをえない」厳しい環境にある青少年を、一人、二人と「刈り取って」いこうとしている。そこには驚くほどに丁寧なものがある（相談にのったり面倒をみたりだ）。

ただ、よく見ておこう。「ハマー」を構成する少年少女たちは、みんながそんなことを…やくざまがいのチンピラの手伝いなどをしたいなどと、自ら思って始めたのではない。ほとんどの者がそうだといえる。
「話を聞いてくれた」「大事にしてくれた」「わかってくれた」大人が、そんなことしか命じてくれないから、そうすることになってしまった。そして、なかなかに抜け出すことができない状態……「義理」と「カネ」、「つるんだバイクで暴れ回る」……そういった世界につかってしまっているのだった。

そうしたメンバーは、ひとたび「集会」が招集されると色めきたつ。

……きょうの昼間は、学者センセイとその家族が浜辺を歩くのを見張るように言いつけられた。きれいな嫁さんと連れ立って、かわいい女の子が無邪気に歩くのを見ているのは、こちらも楽しいくらいだったねえ。その小さい女の子が、ガイジンを交えた高校生らしい五人連れと遊んでいるのも見かけたな。「ほほ笑ましい」もんだ。ところが、あとでアニキから知らせがあった。あのガイジンは、どうやらとんでもないことを知っている。どうやってそれを知ったのかは、痛めつけても知る必要があるってことだった。それで脅しつけようとしたときに、計算外があった。高校生のうちの二人がめっぽう強え。正面からじゃとても太刀打ちできねえ。襲いかかって聞き出すことは、やめにした。あとは、脅しつけて、「学者センセイの味方したり、このハマをかぎまわったりは、もう怖くてとてもできねえ」くらいに痛めつけてやることになった、ってことだよな。そのために今夜は「緊急集会」が招集された。久しぶりに燃えるぜ～。

えっ？　学者センセイとかが、どうしてこのハマを調べるのか、って？　俺は知らねえよ。アニキが言ってたこと？　いや、俺は何も聞いちゃいない。漏れ聞いたんじゃないのかって？　お前は、ばかか。それは「絶対秘密」のことなんだよ。知ってる、ってことだけで、命まで危ねえらしいぜ。だから俺は知らんよ。…島に橋をかける計画？　知らんなあ。プロジェクト？　俺に聞くな。お役人さんや議員の先生さんたちも苦労されてるんだ。そのご苦労があるからな…。いいか。ちょっと何年かはかかるらしいが、俺たちの街は、ものすごく金回りがよくなるんだぜえ。

…いけねえ、しゃべりすぎた。今夜はそれどころじゃねえ。こいつらには、こってりとヤキを入れてやらねえとな。ハマーの怖さを思い知れよ〜。

「キタワネー」

ラーラの気持ちが高ぶる。バイクの種類はさまざまで、すべてが盗難車だ。違法にも青と赤の回旋灯を点灯する車両。爆音集合管、セパハンにバックステップ、絞りアップハンドル、ロケットカウル、白色尾灯、十二音階のトランペットホーン。並ぶバイクの編隊は、ホンダCB七五〇FOUR、CB五〇〇、ヤマハGX七五〇、スズキGT七五〇（水冷ツーサイクル三気筒）、GT三八〇（ジーティーサンパチ）、カワサキZ－Ⅱ（ゼッツー）、Z七五〇RS、五〇〇SSマッハⅢ…。ほとんどのライダーらがヘルメットをかぶっていない。タンデム（後部）シートにまたがってチェーンを振り回す者、孫悟空の如意棒を気取ってデッキブラシでポーズをとる者もあった。

「何なの、この人たち？」

織香が震える声で言った。

「暴走族…。こわい」

早苗も言う。

司郎は、きょう一日かけて観察してきたラーラの物腰やしぐさ、またボート操船や乗用車の運転技術から、「彼女には信じるに足るものがある」ことを見て取っていた。剣豪が相手の身のこなしから、真剣を「抜く」前に実力を知るのと同様の推知力だ。

司郎は織香と早苗に言った。

「大丈夫。ラーラに任せよう」

重ねて司郎は、前席の大輔に向かって声を上げた。

「大輔、ラーラの補佐を頼むぞ！」

「わかった、司郎」

大輔が短く答えた。それを聞いて司郎は、左隣に座る織香のほうに自分の左腕を回し、彼女の右手を自分の右手で強く握り締めた。同じく織香は、左腕を早苗のほうに回した。早苗の両手は、織香の右手を強く握り締めている。

「…任せろ」

そう言うと大輔は、持ち前の動体視力を最大限に発揮して、前後左右のオートバイに気を配りながら、ラーラがしようとすることに全精力を傾注して寄り添うことを自らの最大の任務とした。あたかも剣道の試合に臨むときの、あの緊張だ。

ラーラは、そうして乗員のみんなが協力してくれていることをうれしく感じ取った。同時に彼女は、イヤリングに手を触れると、気づかれるかどうかのほのかな香りを車内に漂わせ、これまでに地球人の脳波に対してしてきたと同様の催眠環境をつくりだすことによって、車内が冷静に保たれるよう「トランス効果（静穏で静謐な状態を到来させること）」を仕掛けることに注意を向けた。そしてそれは奏功した。

ところが、勝負としては、ほぼメルセデスの独り勝ちである。

時速八十キロばかりで走っていたベンツに二輪たちが追い付いてくる。周りで奇声を上げて、ベンツの前に回り込み、減速させようとする「突っ込み役」のバイクが加速してきたが、それらの多くの試みは、ラーラの加速で目的を遂げられなかった。

しかも、ラーラの運転は、アクティブを超えてアグレッシブだ。ベンツの左側から側道を抜けて前に出ようと加速してくる二輪に、ラーラは迷わず幅寄せした。未熟なライダーであれば、ブルーラインの側壁か、ベンツに接触して転倒だ。ラーラが左側へ幅寄せした隙に右から前に出たバイクは、スズキGT七五〇。それに続いてもう一台のヤマハGX七五〇が、ベンツの前に出た。二台のバイクが減速してベンツの速度を落とさせようとする。しかし、ラーラは気にしない。アクセルを踏み込み、一台のバイクのテールにベンツのバンパーが接触する。ふらついたバイクが必死に姿勢を立て直す。ラーラはさらにもう一台に「追突」する。それもふらついていまにも倒れそうになりながら、必死の加速で逃げようとする。加速の勢いは確かにバイクのほうが優れているから、一時的には車間が開くが、ラーラはさらに加速する。スピードメーターが百八十キロを指している。バイクで逃げるライダーは文字どおり必死だ。恐ろしい風圧を受けて、タンクの上に腹ばいに張り付いている運転者。チェーンもデッキブラシも投げ出して、その背中にしがみつくタンデム（後部座席）の同乗者。もう前も右も左もない。後ろのベンツだけが脅威だ。逃げ道は前しかない。加速してベンツから逃げなければ、追突されてほぼ確実に命を失ってしまう。

左前にいた一台が蛇行を始めた。整備不良もあるだろう。その一台がブルーラインの左端、道路の壁に張り付くようにしてベンツの前に道を空け、ベンツに先を譲ることを懇願するポーズをとっている。ラーラはそのバイクを追い越すのではなく、ベンツをもレーンの左側路肩に寄せ、フロントバンパーをバイクのテールランプに当てようと追い上げる。ベンツが接近していく。スズキGT七五〇ライダーの二人は、もう命がなくなったと観念した。そのとき、大輔の左手が助手席から、ステアリングを持つラーラの右手の上にそっと重なった。

ラーラが正面を向いたまま、一瞬、大輔を目の端に入れる。

ラーラはそのとき何かを感じた…。地球人の大輔が、アトランタからきたあたしに何かを教えてくれている。…何だろう、それは。

ラーラの気持ちは、この一瞬で大輔に大きく傾いた。

大輔がラーラにゆっくりとうなずく。ラーラも大輔にうなずくと、ベンツを走行車線中央へ寄せて、壁際のバイクを追い越していく。メルセデスの左車窓に見えた二人のライダーは、さっきまでラーラをベンツのボンネットの上に組み敷いて乱暴をはたらこうとしていた男どもだ。その彼らが徐々に左後方へ下がる。ラーラはもう見向きもしない。バイクはスピードを落として、ベンツからは急速に後方へ遠ざかっていった。

もう一台のバイク、ヤマハGX七五〇をラーラは追いかける。速度が百二十五マイル（約二百キロ）を超える。回転計が針を右へ振る。GX七五〇が逃げていく。バイクとの車間距離を、ラーラが加速して詰める。

ラーラが言った。

「ワカッテイルワ、ダイスケ」

バイクが時速二百四十キロであえいで逃げる脇を、メルセデスベンツは時速百八十マイル（約二百九十キロ）で抜き去ると、さらに加速して吉井川の彼方へ消えていった。

ラーラはブルーラインを降りると、早苗と織香の道案内を受けて、それぞれの家へ車を向けた。

「ごめんなさいね。こわかったでしょう」

とラーラが言うと、

「不思議。緊張してたけど、ラーラに任せきった気持ちになれて、怖くはなかったわ。思い出すと驚くほどのことが、これでもか、これでもか、ってくらいあったんだけど！」

そう織香が言うと、

「ほんとう。そのとおり。どうしてだったんだろう。あたしもそうだった」

と早苗も言った。

司郎と大輔はともに、女子二人が平静でいられたことを知って、心配が解けるのを覚えた。また彼ら二人にとっても、剣道の試合のときの緊張を超えるまでの経験とは思えない気分だった。

ラーラは、地球人四人にトランス効果を与える努力が実ったことを知って、ほっと胸をなでおろした。

そのあとラーラは、司郎の家の前に司郎と大輔を降ろした。大輔は司郎の家に泊まるという。

「今度会うのは夏休み明けかな」

「長い夏休みが明けたら、また会ってね」

ラーラがたどたどしさを抜け出して、日本語をしゃべっている。

「ありがとう、ラーラ」

「ありがとう、シロー、そしてダイスケ。忘れられない日になりました」

司郎の家の玄関に付いているチャイムを鳴らすと、家の内側から司郎の母の声がした。

「司郎、帰ったの?」

司郎がドアの向こうの母に言った。

「ただいま。きょうは樋口くんがうちへ泊まるからね」

「わかったわ。じゃ、ご飯にしましょう」

司郎が母と話している間に、ラーラが運転席を降り、大輔の両耳をつかんで彼の顔を自分の顔に近づけて、唇を重ね合わせた。

大輔がラーラを抱き締める。

司郎が振り向くと、ラーラが今度は司郎をハグして言った。

「あたしたちは、海と空と地球を大切にしましょうね」

「うん、ラーラ。ダイスケもきみを大切にすると思うよ」

脇にいた大輔は、司郎がそういうのを聞いて頬を赤らめた。

ラーラは運転席についた。

「ありがとう、シロー、ダイスケ」

そう言ってラーラはメルセデスをスタートさせて遠ざかると、カーブで消える前に赤いテールランプを五回点灯した。


五回のテールランプを、別の角度から見とがめていた車があった。そのシェイプはニッサン フェアレディZ四三二だ（記号はゼット。オッではない）。

運転席の男は、黒いスーツに蝶ネクタイを締めていて、夜なのにサングラスをかけていた。

「お嬢さん」

「やってちょうだい」

助手席の女性が、運転席の男に車を出すように言った。フェアレディZ四三二は、物陰から滑るように発車し、百メートル以上の車間をとってメルセデス・ベンツSクラスの追跡を始めた。

「先回りしておいてよかったですよ。車を見つからない場所に止めておけました」

蝶ネクタイは、丁寧な言葉遣いだ。助手席の女性は何も答えない。

ブルーラインへ戻る道を進むベンツのあとをたどりながら、運転席の男は女性に尋ねた。

「あの生徒の家をよく知っていましたね」

女性が答えた。

「聞いたらわかったわ」

蝶ネクタイはうなずきながら言った。

「ありがとうございました。でも、よく教えてくれたものですね。何か仕掛けでも?」

個人情報保護という考えが、当時はまだ現在ほどには普及していない。

「鷹峯司郎という一年生に特に関心があるので、サプライズに贈り物をしたいから住所を教えて、と言ったのよ。親切な職員が教えてくれた」

自分で本人に尋ねればいい、と言われるだろう、普通は。そこをどうしても、と押したのは、今回の仕事とは別に、実は本気で彼に対して個人的な興味をもっているからではないのか、お嬢さんは。…そういう目で蝶ネクタイが助手席を見ると、それを察した女性は、話をそらすかのように彼の目を避け、前を向いていた。

ベンツがブルーラインへのランプウエーをのぼっていく。それを目で追いながら、女性は言った。

「やはりね。ベンツは戻っていく」

彼女が言うと、司郎の家住所の話には区切りをつけるように運転席の男は答えた。

「そうですね。肝心なのは、男子生徒の家などではありません。彼女がどこを根城にしているかです」

それを聞いて助手席から合いの手が上がった。

「それよ。彼女の住まいについては、どの職員も教えてくれなかった。交換留学生が授業を受けているることをよく知らない職員もいるくらいなんだ…。親と一緒に来日しているらしいが、どこで暮らして登校してくるのか、関心があるのはあたしたちくらいかもしれないね」

話を継いで蝶ネクタイが言った。

「そして、彼女はなぜ「プロジェクト」のことを知っているのか。親も関わりがあるかも。むしろ親からのルートで知っているのかもしれないですね」

「当たり前じゃないの。その筋の報告をするために今夜もつけてるのだからね」

「すみません。ハマーの連中に脅しをかけさせたのは、見事に失敗でした」

「それだけ、向こうは肝がすわっていたし、ますますそこは謎ね。脅しつければ恐れをなして引っ込むだろうと思っていたら、ちっともひるまなかった。これだと、何かじゃまなことをしてくるかもしれない。それをパパから…」

女性がことばを切るところを、蝶ネクタイが続けた。

「社長から「先生」に報告しなければならないことかどうか。わかることは、できるだけ確かめておかないと、ですね」

ベンツは、ブルーラインの来た道を引き返していく。かなりの速度だが、さっきのバイクとのレースのときのような高速ではない。フェアレディZは、その速度に合わせて車間距離をとりながら追跡する。

「邑久(おく)を過ぎていく」

彼女が言ったのは、海水浴場からブルーラインに乗ったICのことだ。ベンツはさらに東へ向かっている。一本松展望台にさしかかり、ベンツは速度を落とした。フェアレディZも減速する。しかし、ベンツは展望台への道をとるのではなく、ブルーラインをそのまま進む。

ベンツが加速した。

「お嬢さん、尾行が気づかれたようです」

「しようがないわね。展望台で見失ってはいけないから減速しなきゃならなかったし、逆に追い越してしまっては追跡にはならないものね」

「試されましたね」

「いいわ、とにかく追いかけて」

「わかりました」

ところが、ベンツはさらに加速していく。ただ、フェアレディZは次々にシフトをあげて先行車を追跡する。そこは、加速ではどんな四輪にも負けない二輪が、最高速ではベンツにかなわないのと違うところだ。フェアレディZは、メルセデスの加速をカバーした。

「カタカミ大橋ね」

カタカミ湾にかかる橋が迫ってくる。そこまでは東へ向かう車がなかったのだが、そのとき、ベンツよりさらに前方に一台のトラックのテールランプが現れた。

ベンツは、というと、躊躇なくさらに加速して、反対車線からトラックを追い越した。フェアレディZがそれに続こうとしたそのとき、間の悪いことに、対向車のヘッドライトが現われた。フェアレディZは、やむをえず減速する。対向車が過ぎて、フェアレディZが反対車線に出た。そのとき、彼らは大橋の上にさしかかっている。海面は三十メートル下だ。橋は五百二十メートル続いていく。

トラックを追い越して車線に戻るフェアレディZ。ところが…。

「お嬢さん！」

「どうして!?」

ベンツがいないのである。

「嘘だろう！」

二人は、呆然とするが、前方に車両はない…。

フェアレディZに追い越されたトラックの運転席では、運転手が口を大きく開け、目を見開いて、必死の様相でハンドルをつかんで空高くを見つめていた。速い自動車の二台に追い越されたが、一台目は、対向車とすれ違う直前に自分のトラックを追い越したあと、空中へ飛び上がっていったからである。

フェアレディZは、さらに速度を上げて進んだが、ベンツは見つからない。

次のICで折り返した二人は、カタカミ大橋付近の路上を逆向きに十分に減速してたどった。彼らは、ベンツを見失ったまま、西に向かって戻っていくしかなかった。

「何だったの、あれは。あたしも見ていた。でも見失った」

「依子お嬢さん。私もあんなことは初めてだ」

「とりあえず、私たちが見たことはパパに言いましょう」

「わかりました。二人の、四つの目が見ていた前で起こったことです。大和田社長もきっと信じてくださると思いますよ」

蝶ネクタイが運転し、助手席に高校二年生の大和田依子を乗せたフェアレディZは、ブルーラインを西に向かって走り抜けていった。


「お帰りなさい、ラーラ」

センタが声をかけた。センタはいましがた、トラクター（牽引）ビームでキャッチしたベンツを、イアハート号のデッキへ引き上げて固定したところだ。

そのベンツのドアを開けながら、ラーラが言った。

「ありがとう。センタ。上手に引き上げてくれて」

「ご苦労だったねえ。どうする?、いまから」

そう尋ねるセンタに、ラーラが答えた。

「もちろん、寝るわよ。明日も「登校日」。学校が早いからね」

「ラーラ、夕食はどうするの?」

尋ねかけるバーバラの前を、ポケットから出したプロテインバーを見せながら、「一人にしてね」というそぶりで自分の部屋へ入っていくラーラ。ジョーとセンタもその彼女を見送っている。

この晩、肩をすくめて見せたのは、バーバラだった。

エピローグ　リカバリー

「なにをふさいでるの？　ラーラ？」

センタが聞いた。

「ふさいでるんじゃないわ。打ちひしがれてるのよ」

ラーラの答えを聞いて、船長のジョーがバーバラとセンタに向かって肩をすくめて首をひねった。

「ふさいでる、と打ちひしがれてる、の両者の間には、どういう違いがあるんだ？」というサインだろう。

バーバラが、そのサインの身ぶりを指して、独り言のように言った。

「いいんですか、キャプテン。そういうの、見つかったら、きっとひどいですよ？」

すかさずラーラが叫んだ。

「何してるのよ、ジョー！　こそこそと」

「いや、ごめん、何もしてないよ」

とジョーが慌てて言った。

「弁解するところに罪の意識が丸見えよ！」

それを聞いて、これまた首をすくめようとするセンタへも、

「センタ、あなたもよ！」

と、振り返ろうともせず、ラーラは叫んだ。

「本当にあなたたちは、乙女心というものがわかってないんだから。まあいいわ。どうせ説明してもわからないでしょうからね」

ほかのクルー三人は、あーあ、という表情で顔を見合わせる。

「よかったじゃないか。身をもってこの天体の人間との交流ができて」

「本当にきみは勇気あるよ」

ジョーが言った。

「さあ、間もなく位相空間レスキューから通信が入るぞ」

ジョーがそう言ったところへ、アラームが鳴って女性の声が響いた。

「セールナンバー、七二三五六七・B・三三〇六。イアハート号、入感ありますか。こちらは、位相空間レスキューです」

「星間レスキュー？　こちらは、七二三五六七・B・三三〇六。イアハート号。ファイブ・ナイン・オーバーで受信しています」

「今回あなたから送信されたメーデーシグナルは、前回、〇四〇三・二〇四七八五九・七五二におこなわれた交信に継続する案件、と私たちは認識しています」

「そのとおりですよ」

「つきましては、このたび、Gチューブ内交通の乱れや、予期しないビーコンの切断が生じ、たいへんなご迷惑がかかってしまいましたことを、位相空間レスキューから、アドラーが心からのお詫びを申し上げます」

という女性の声。

「わお、奇跡だ。きみの声は前回、こちらから遭難信号を初めて発したときのメーデー・リターンでも聞きました。…よ、ね?!」

　優しい女性の声が続いた。

「違います。記録には確かにアドラーとありますが、わたくしたちスタッフは女性だけで八万二千人いて、アドラーという名前はリストの百九十四行を占めています。確かに同じ名前のスタッフに当たったのは約四百二十分の一の確率ですね」

　あ、そうなんだね、と思ったジョーが続けて聞こうとした。

「ところで、きみは…」

「きみは機械？　それとも人？　…ですか？　もし本当に機械だったとしてもそのことをバラすことなく逃げおおせちゃうでしょうけど、わたくしは人ですよ」

　抑揚に皮肉の響きを込めた昂然とした声で「アドラーの声」が答えた。

「参りました。それじゃ、ビーコンの接続をお願いします」

　バーバラが、それを聞きながら、彼女らしくなく、

「やはりアドラーさんは機械でしょうね。自分は人だと言い張ったまま「逃げおおせ」られてしまったわね」

と言って苦笑した。ジョー以外のクルーの声は、声紋が登録内容に合致しないため、星間レスキュー側には聞こえていない。契約者以外から発せられる情報を無視するために、登録されて認証を受ける声紋以外の音声は届かないからだ。そこへまた「アドラーさん」の声が響く。

「了解です。そちらのクルーザー、イアハート号が、Gチューブ内に復元する寸前にいた位置の三次元座標が確認されました。間もなくビーコンをクルーザーがつかんでくれますよ」

「ありがとう」

とジョーが答えた。

「機械でも人でもいいよ。たいへん人間的で丁寧な対応をしてくれているのだから」

と、ジョーが感想をもらした。

「あれだけ探そうとしても見つからなかったビーコンの接続が、この一瞬でできるなんて、肩をすかされるほど「超簡単」で、そのぶん、また感動ですねー」

とセンタが感嘆の声を上げた。

「本当ですね」

とバーバラ。

「三次元的、いや、もっと次元を低くして二次元的に考えれば、船が方位を失った。どこへ向かって航海すればいいかがわからない。そこへ羅針盤（コンパス）とか測位儀（現代でいえばGPS）を届けたいのだが遭難した船の場所がわからず届けようがない。そのとき、船が自分の位置を正確に知らせてきたので無人機がリグ（装置）を届けてくれた…。そんな関係かな」

とジョーが言うところへ、センタも声を重ねた。

「しかも、それが瞬時で」

「すごいね、Gチューブって。本当にありがたいよ、星間レスキューは」

とジョーが言うと、センタも同調した。

「その褒め言葉を星間レスキューに聞かせてあげようよ」

するとアドラーの声が響いた。

「ありがとうございます。上司に報告しておきます」

「ありがとう、アドラーさん！　ビーコンもつかまえました。じゃあ、長い休みをとったけど、アトランタに帰ります。では、そちらからファイナルを送ってください」

ジョーがそう返している間に、バーバラが脇で言った。

「ちょっと待って！　「ありがとう…上司に報告して」おく、って、レスキューにはジョー以外の声も聞こえてたんじゃないの!?」

センタも言った。

「本当だ！」

それらにおかまいなく、アドラーの声が言った。

「どうぞ、帰り道。お気をつけて。元気な帰還をお待ちしています。もしまた何かあったら位相空間レスキュー公団にご連絡ください」

「了解です。ではまたいつか、すてきなおしゃべりができることを期待しています」

「こちらこそ。ベストリガーズ、七三。グッドラック。アウト」

「ではアドラーさん、お元気で。八八。ありがとう。アウト」

ジョーがそう言って通信が終わった。

「じゃあ、帰りましょう！」

と、清算するような、という形容があるならそんな気分を思わせる声で、ラーラが言った。

「オフィスもなんとか有給休暇の範囲で間に合いそう。それに、レスキュー公団からも証明を取って提出するわ。あたしの名前を公団は認識してるわよね？」

「うん。ある意味ではたいへん残念なことに、ラーラのＩＤはクルーザーのＡＩ（人口知能）のシステムが自動的に登録して、公団へはもう報告しちゃっているよ。もちろん、カスタマーであることちら側から申請しなければ、その情報は取り出すことができない仕組みだけれどね」

とジョーが説明した。

「オーケー。安心ね」

とラーラが言った。

「いま、船に帰り道を計算させている。ビーコンの端をつかまえたから、その先に絡んでいるビーコンネットワークの広がりも予測させないと。一応、五回は検算させて、そのなかの平均値じゃなくて所要時間の中央値をとって帰路に選択するよ」

ジョーがそう言うと、バーバラが続けた。

「それにしても、ラーラ。この天体に降りてネイティブに交わる体験。よくやったね」

「今度、会社へレポート上げるんだ。もちろん、アカデミーの紀要へも投稿するわ」

「テーマは、経済介入の手法について？」

とバーバラが聞くと、ラーラが答えた。

「それはだめでしょ？　発展途上にある天体の文明への干渉は。だから、レポートは、文化論や民俗論。「多天体人類間での世界観比較考察の試み」ってつけようかな」

　すると、バーバラが言った。

「そっか。そうくるか。法は基本的に、発展途上の天体にあるネイティブへの接触を禁じているからね。ある学術的な観点からの限られた訪問は、禍根を残さないことを原則としては認められるけど。法は、それぞれの世界が自分の進路を自分で決めること、天体間民族自決、星間恒久自立という考えに立っているわね。でも法が非情なのは、発展途上にある天体が自らの生物や民族、人間を自滅させせようとしていることを知りえたときにも、他者であるわたしたちは決して手を出してはいけない、と定めている点よね」

「ある天体が無差別に他天体を攻撃し侵略するような行為を始めないかぎりは、自由な活動を保証する。その身の振り方が自滅に向かっていても外から手を出してはいけない」

　ジョーがおごそかに言う。

「著しく超常的な観念の連鎖や、開発した自然科学の力を自滅に向けてしまう選択しかできなかった星や生命体は、自ら滅んでくれるのが妥当、という「放任主義」だね」

　そうセンタが言うと、ラーラが抗議するように言った。

「あたしはそれには疑問があるわ。あたしたちでも、いままで誰にも迷惑をかけなかった、なんて、言える？　みんな言える？　言えないわよ、誰も。誰だってほかの誰かを一度くらいはいじめたりしなかった？　言葉の暴力も絶対になかった？　ほかの誰かからだっていじめられた瞬間はなかったかしら。ううん。わんぱく坊主もおてんばもいたし、少し大きくなったら、ガキ大将だって、番長だっていたわよ。だからあたしたちは「教育」を受けた。先人から教えや教訓をもらわないで、すべてに自分で気づけなんて…。できるはずないよ」

「うん、それはそうだねえ。しかし、外界から「教育」することは、また危険と紙一重なんだ。本当に難しい。「教育」の名の下に、洗脳や教化、扇動がおこなわれることだってあるからね」

そうジョーが言った。

「この天体ではいま、核分裂反応を主要なエネルギー源としていく「エネルギー転換」がおこなわれようとしている」

とバーバラが言った。

「無限の宇宙線エネルギーではなく、天体を構成する物質を費消して、半減期から考えても処理不可能な放射性廃棄物を蓄積しようとしてる。そんな取り返しがつかないことは、短いステップの一つとして星の歴史のなかでできるだけ早く通過してくれるといいのに…。つい最近、核分裂エネルギーを兵器として、人の上で二度も炸裂させた星だ」

とジョーが言った。

「このクルーザーの前の持ち主は、核廃棄物が蓄積されている天体に警鐘を鳴らす、という「違法」ぎりぎりのボランティア活動をこの船でしていた。そのために銀河を巡るグランドツアーをしたんだけど、そのときに「兆候ある天体」としてＡＩが自動的に入れたチェックが、まだこの船のメモリーからデリートされきっていなかったんだ」

と、バーバラがしんみりとして言った。

「ふーん。それであたしたちはこんな辺境に引き寄せられたわけ？」

とラーラ。

「しかも、ちょうど、公団でビーコンが切断する事故も重なった」

センタがそう言うと、

「そうだったのね。いずれにしてもあたしは、彼らが核分裂エネルギーをどのようにして被害なく扱えるか。災害に遭ったり、兵器として使用したりをどう回避できるか、とてもとても心配よ」

とラーラが言った。

「気持ちを寄せる地球人ができたのだものね」

ラーラを励ますように、バーバラが言った。

「わかるよ。でも、厳しい定めなんだ。法は本当に理不尽だと思う。だって、彼らの力による、友を求める情報の最先端は、まだ四十一光年やそこらのところを旅してる」

とジョーが言う。

それは人類が初めて放送した極超短波放送、ベルリンオリンピックのテレビ電波が人類史上初めて電離層を抜けて宇宙へ飛び出した一九三六年から続いている電磁波の旅のことだ。

「アトランタに到達するまでにはまだ三万九千年以上もかかるんだものね。そしてそれまでに距離の二乗に反比例してエネルギーは減衰するから、もう既にないに等しいよ。何かの仕組みが増幅しなければね。それとも、彼らの数学と技術が、Gチューブを操れるまでに発達するか、だ」

ジョーが言うと、ラーラが引きとった。

「しようとすればできるのに…。誰もが教育を受ける。生涯学ぶ。関心に応じてあらゆることを知り、考え、「誰かに頼んで」でなく自分が判断する。その仕組みのために力を貸してやりたいわ」

とラーラが言った。

「そうだね。その気持ちはわかるよ」

と、センタ。

「けれどね。調べたところでは、彼らはその仕組みに気づきかけている。核分裂エネルギーを兵器とした結果生じた惨事を乗り越えて、彼らなりの掟をつくっているわ」

ラーラがそう言うと、バーバラがそれを受けて言った。

「ところがそれを、元の木阿弥にしてしまおうとする流れにも身を任せようとしている…」

ジョーが言った。

「そここそが悩ましい点だね」

しんみりとした空気が流れる。

センタが言った。

「それにしても惑星上でのラーラは、最初から最後までとても淑女らしい振る舞いだったよ」

「なあに、それは。あたしが普段はレディーらしくない、って皮肉を言ってるの？」

と、ラーラはムキになった。

「違うわよ、ラーラ。あなたは勇敢だったし。軌道上に飛び交う情報から、最も多い言語として最初に習得した言葉が「英語」というものだった。また、地球人のなかでは一つの典型だろうと考えられた映像文化登場人物の一人の姿に似せて身をやつしたことも、はじめは少しギャップがあったね。しかしむしろ、彼らのなかでの民族的な差異の間に、アトランタと地球とのギャップをも解消できた。つまり「海外留学生」との間でのいわゆるカルチャーショックという概念によって異星間の生物的・精神的相違をも大目に見るといういい効果があったわけね」

とバーバラ。

「つまり、「他民族である留学生」という概念が、一定のギャップを前提としていたので、どうしても出てしまう僕たちアトランタの人間の身体的特徴やしぐさの、地球の人間との「違い」をカバーしてくれたのかもしれないね。命からがらのシーンもあったじゃないか」

とジョーが言う。

「いつも僕らが待ち受けているカタカミ大橋でのピックアップと違って、それまでにすごいカーレースしたものね」

それを聞いて、

「それは、本当に絶体絶命のピンチだったら、隣接多元宇宙を通ってクルーザーが拾い上げくれたもの。頑張ってヘルプサイン送らなかったけど」

とラーラが胸を張って言った。

「ヘルプサインって、このカードのこと?」

とバーバラが一枚のカードを差し出した。

「え?　なんでそんなところに、どうして?!　あ、あたしがネックレスに吊るして携帯してたつもりのカードがそんなところに?!　ウソ!」

慌てて、ラーラは自分が首から下げている輪の先を胸のなかから取り出した。そこには地球での高校生として、アルバイトの面接を受けたときに吊り下げたカフェ・モカの職員証がぶら下がっていた。

「あたし、丸腰で向こうにいたんだわ。鳥肌が立った。ぞっとする〜」

「あははは…そうだったのか。よかったね。何もなくて」

センタが、自分も冷や汗を拭いながら、そう言った。

「それで、「打ちひしがれてた」ことはどうなったんだい?」

とジョーが尋ねた。

「あ、そうだ。忘れてた。恋する心が打ち破られた、いたいけな乙女なのに」

「そうかー。それで、誰に恋してたの?」

とセンタが言った。

「ばーか。そんなの決まってるでしょ?」

「え?　わからないなあ」

　センタは首を傾げて見せた。

「シローがいて、ダイスケがいて、デリックがいて、あとは暴漢が何人か。オリガがいて、サナエもいたね」

とバーバラが言った。

「あたしの場合の恋愛対象は男性よ」

「じゃあ、高校のほかの男子生徒や職員だっているんだけど、まあ、シローかダイスケかのどちらかだろうな」

とセンタ。

「どうぞ、ご想像にお任せします」

「うん、僕は、ラーラはシローに恋したと思うなあ」

　センタがそう言うと、

「わたしは、ダイスケだと思いますね」

とバーバラが推理した。

「じゃ、賭けよう…」

「いいよ。わたしは何賭けるか決めた」

「僕も決めた。じゃ、どっちから言う?」

「そちらからどうぞ」

「それは卑怯だよ」

「じゃ、同時に言いましょ。いっせーの、…」

そこにラーラが割って入った。

「何やってんのよ!!　あなたたち」

そう言い合っているうちに、ジョーが言った。

「さあ、検算が終わったぞ。わかってると思うけど、帰りは全コース機走だ！」

セーリングではなく、エンジンから推力を得て飛ぶというのである。

「それはしょうがないわねえ」

と、バーバラが諦めの口調で言った。

「いいね、それじゃジャンプするよ」

ジョーが言う。

「その前に、あの天体、地球っていうのよ。もう一度だけ見ておきたいな。だってあの人がいる星だから」

と、ラーラが名残り惜しそうに言った。

「せっかくつかんだビーコンを離してまた三次元空間へ出るなんてむちゃだよ」

とセンタが抗議する。

「それは、そうねえ」

ラーラが諦めの口調になる。

「…って、言いながら、実はほぼリアルタイムの映像を、ビューアーからなら見ることはできるんだ」

とジョーが言った。

「えっ？　本当？」

「うん、クルーザーがこの天体の相当の情報をアーカイブとして自動的にインプットしてしまったからね」

ジョーがわけを話した。

「わっ！　すてき！　じゃ、お願い」

ラーラが期待いっぱいの声をあげた。

「OK。それじゃ、ビューアー・オープン！」

デッキを覆う天井の外扉が開いていくようにクルーの目に映る。青い地球の表面が「頭上に」「見下ろせ」る。

「さあ、名残り惜しいだろうけれど、そろそろジャンプだ。ジャンプしたら、ビューアーはイメージ画像に変わるよ。三次元空間を超々高速で飛行しているような銀河の模型の画面になるよ」

ラーラが答える。

「はあい」

そこでジョーが叫んだ。

「よし、いこう。三、二、一。ジャーンプ！」

ビューアーのなかで（いや、ビューアーからはみ出して）回っていた地球が、宇宙からの来訪者はラーラたちが初めてではなかったことを告げるペルーのナスカ地上絵とともに、瞬時に縮小して小さな球になったかと思うと、かすかな光点になり、すぐさま巨大な太陽が画面を覆ったが、これもまたすぐに小さな輝点となっていった。

セーリングクルーザーは銀河の中央方面をめざし、光速の九千倍の速度で三次元空間を飛んでいるかのような「ヴァーチャルな」画像がビューアーに繰り広げられ、クルーザーの周囲を無数の恒星が移動した軌跡として描かれるかぎりない数の輝線が走る。

もちろん、それは正しくない。光速以上の速度で飛ぶ宇宙機があるとしたら、それに乗る者の目からは、恒星は後方に飛び去ってはいかない（光速以上の速度で移動する乗り物に乗る者に、飛び去る後方の物体が発する光をとらえられるわけがない。後方の物体からの情報は光速でしか発せられないため、超光速で移動する者には、決して届く（見える）ことはないからだ）。星の光は、前方の一点に集中していくのだ。

しかし、船のＡＩは、イメージとして画面にそれを描かせた。あたかも例のミレニアム・ファルコン号が超光速飛行を始めると同時に周りに光の線が描かれたときのように。しばらくすると、画像は銀河の全体模型図を浮かび上がらせ、概念上セーリング・クルーザーが所在する位置を示す３Ｄグラフに変わった。

「すてきな星だったわ、地球。どうぞ、いついつまでも青いきれいな星でいてください。そして、あなたもお元気で」

ラーラは、そう心のなかに思った。こうして、イアハート号のＡＩは、ジョーの前のオーナーの女性研究者が人知れず同船に注いできた情熱の一つを形にしえたのだった。

夏休みが明けて高校の授業が始まった。

「どうして、ラーラはきてないのかな」

と司郎が早苗に尋ねた。

「変よね」

二人はお互いの間のラーラの席を見ている。織香も近寄る。

「この人」

とラーラの席を指さし、織香が、近くの男子生徒に向かって尋ねた。

「松本くん。ラーラ、どうして今日きてないか知ってる?」

「ラーラ? 何言ってんの?」

「松本、野々山、下里、鷹峯、座れ。授業だぞ」

と加藤教諭が言った。

「先生。ラーラはどうしたのですか?」

「ラーラ? 何だ、そりゃ?」

「カナダからの交換留学生ですよ」

「わははは…おまえ、何を言っとんのだ。わが国の高校に海外からの留学生がくるなんて、三十年早いわい。さ、日本史の教科書を開け。幕末、黒船、坂本竜馬、第十五代征夷大将軍・徳川慶喜だ。

いいか…」

「どうしちゃったのかしら、みんな」

司郎も織香も狐につままれた気持ちでその日の授業を受けた。

放課後、一組に所属する司郎、織香と早苗は、三組の大輔に会った。大輔はちゃんとラーラの話題に入ってきた。

「え？　一組のみんながラーラを忘れちゃったの？」

大輔が驚いて言った。

「そういえば、俺たちラーラに車で送ってもらったけど、彼女の家ってどこだったのか、知らないよなあ」

大輔が、少し不安そうな表情でそう言った。その不安がる大輔を、もっと不安そうな面持ちで早苗が見つめていた。

「でも電話番号はわかるわ。かけたことあるもの」

織香が言うので、四人は生徒会館にある公衆電話へ走った。

「こちらは、電信電話公社です。おかけになった電話番号は、現在使われておりません。恐れ入りますが、番号をお確かめになって、おかけ直しください…」

「ショック」

と、織香が落胆した。

「ハーバーへかけてみろよ」

と司郎が織香に言った。

一〇四番でハーバーの番号を聞いて、ダイヤルを回した。

「デリックさん、おられましたらつないでください」

織香が頼むと、電話をとった女性が答えた。

「英語で話しますけど、いいですか？」

「お願いします」

と返事して、織香は受話器を耳に当てたまま振り向いた。

「早苗、英語だって。でもデリックさんって、日本語流暢だったよね。念のために早苗、代わってくれる？」

早苗が、織香から公衆電話の受話器を受け取る。早苗は、受話器からの声に応えて話し始めた。

「…デリック？　サナエです。あの…。This is Sanae Shimosato speaking. How are you? …」

一分ばかり何かをやりとりしたあと、早苗は受話器を置いた。早苗の顔は暗い。

「どうだった？」

「デリック、日本語しゃべれなくなってるよ。それで、「あなたのことは知りません。島へボートでご一緒したって何のことですか？　マリーナご利用の際はぜひ一度お越しください」だって」

早苗は泣きそうな顔になる。その肩を、やはりもっと泣きそうな顔になって大輔が抱いている。

「ラーラって、何だったんだろう。絶対にいたのに」

でも忽然と消えてしまった。ラーラを見たり、ラーラと話したこともあるクラスメートや先生までが知らないと言う。

「でも、僕たちはラーラとあの島の入り江にいったよ。イルカもいた。フリーダイビングして、とってもきれいな夕日を見たよね」

と司郎が言った。

「うん、うん」

と織香がうなずく。

「見たわ。海の上だったけど「夕焼け小焼け」もきれいな声で歌ってくれた」

と、早苗が懐しそうな声を出した。

「あれって、なかったことなのか？」

大輔が言った。

「いや、あった。あの美しい夕日はあった。僕たちは見た。ラーラも一緒に。この美しい夕日をずっと残そうって、彼女は言ったよ」

司郎が誰にともなく言った。

「きれいな夕焼け、この海を守ろう、って言ったのよね」

織香がそう言うと、早苗が深くうなずいた。

校庭にも夕日が差し始めた。

きょうもあの日に見たような素晴らしい夕焼けだ。

暮れなずむ夕焼け空。

その夕焼け空の一角に、司郎には一瞬、白く輝く点が見えたような気がした。

ケイティ、僕のユーマノイド

Katie, Mon Humanoïde

Katie, Mon Humanoïde

My daily routine is to take a morning walk with the beautiful HumanOid Katie (It's not a robot). One morning, I met Stella, a beautiful girl who had just moved to nearby, and we became good friends.

With Stella and Katie, I rescued a mother and a child who were about to drown in a pond...

"HumanOid" has something to do with humans starting to work with the help of animals.

The government is pushing ahead with the My Number system, but is it unrelated to the conscription system?

Pets seem to be popular, but they are actually treated terribly in the back of the pet stores.

Should these be allowed to continue?

I consider those issues with my HumanOid Katie.

Satoshi Hirokohji

粗筋

僕は、美しいユーマノイド(*)のケイティ（KT）を連れて朝の散歩をするのが日課だ。ある朝、近くに越してきたばかりの美少女ステラと会って意気投合する。その道で、池で溺れそうになっている母子を救助した。それで風邪をひいてしまった僕は、主治医のヴァート（ユーマノイド）にかかっているときに、「家事労働からの解放の歴史」について話を聞いた。

僕たちの身の回りの世話や家事、労働して家計を支えるなど、ユーマノイドは「万能」な生体だ。知力も高い。元来、この地球の支配者である人類は、煩瑣な用事を機械に任せようとした。またゆくゆくは戦闘を担う兵士としても人間型の機械を開発しようとしたのだが、そこには費用的にも技術的にも高いハードルがあった。そこで労働し奉仕する「生体」の開発を進めていった。手始めには、太古からの人間の友人・犬の知恵を高めることにも力を注いだのだった。

僕とケイティは、よく一緒にウオーキングした。レストランで偶然に会った年上の男からは「神とは何か」について、ケイティの友人であるユーマノイドの女性からは「ペットショップの功罪」について、僕らは話を聞いた。どんなときもケイティは僕にとって有能なユーマノイドだ。

溺れそうになった母子の家庭の父親は、中東の戦地へ応召した。ハイキングの山頂で、戦地の情報をつかんでしまった僕たち。戦争は…、他国がおこなう戦争への「後方支援」は、どうしても避けて通ることができないのか。

僕とケイティ、それぞれの恋の行方、妻子を思う兵士の熱い心などを横軸に、二〇四五年、人類が種を超えて信頼し協力しあえるパートナーをもったとき、何に直面しなければならないのか、何をしておかなければならないのかを問いかける。

＊ユーマノイド：主人公らの世話を焼くとともに労働して社会を支える生体（いわゆるロボット－電気電子製品ではない）。この名称は、オブジェクト識別子（ＯＩＤ）を生体の全個体に割り当てて、国家の戦闘行為に総動員する体制が法制化された際、人口に膾炙されて定着した。略称はユーマン。

主な登場者

僕（ケント）	主人公
ケイティ	僕のユーマン（KT。ユーマノイド♀）
ステラ	近隣の美少女
アーノルド	ステラのユーマン（♂）ケイティに思いを寄せる？
ヴァート	僕（ケント）の主治医のユーマン（♂）
ののか	近隣の母親。子どもと溺れそうになったところを僕（ケント）が救助する
ヴォルフガング	ののかの夫。きわめて優秀なために戦地へ
ジークフリート	ののかとヴォルフグガングの子
リヒャルト	ののか、ヴォルフガングらのユーマン（♂）

ジェフ　　　　街のCafé店長。ユーマン（♂）
ヤスミーン　　ケイティの友達。愛猫家。ユーマン（♀）
ヘルムスマン　食堂稲田屋で会った年長者。「死ぬ前に言わせてくれ」と一家言ある
ボースン　　　ヘルムスマンのユーマン（♂）
マイケル　　　マツイ・ブルックス・H。後方支援分隊長（ユーマン♂）

挑戦状

はじめに読者のあなたへの「挑戦」をひと言、申し述べます。この物語はＳＦです。でも、『スタートレック』とか「アトランタからきた少女ラーラ」のようなスペースオペラ（宇宙活劇）というものではありません。また『夏への扉』とか『永遠の終わり』のようなタイムトラベラーものでもありません。海中にいく『海底二万哩』とか地中を旅する『ロストワールド』のようなものでもない。少しだけ似ている物語を思い出そうとすれば、『アイロボット』が浮かびます。

知ったふうなことを書くよりも、この話題の結論は、少し未来の地球上での物語だ、ということです。

それではこの未来史をお楽しみください。

さて、筆者の私からあなたへの挑戦は、「この物語の全体に仕掛けた謎が何か、それがわかりますか」というものです。仕掛けられた謎に、あなたはとんでもなく早く気づくかもしれませんね。気づいた人は、そこから先をもう読まなくて結構です。でも、ほかの人にだけは秘密にお願いしますよ。

では、巻末でまたお会いしましょう。あなたを信じて、筆を進めます。

Ｓ・Ｈ

＊ユーマノイドについて：ユーマノイドは作中、主人公（ケント）らが「自分たちを助けるために立ち働く存在」と認識している個体またはその集合を指す。ケイティ（KT）もその一体（一人）。この語「ユーマノイド」を二分すると（ユーマン＋オイド）、その前半「ユーマン」の読みは、アルファベットに置き直した場合、読み手によっては語頭「H」がサイレント（1）した結果だという説明をされることはよくある（EGJ）。決して誤りではない。後半の「オイド」は作中「オブジェクト識別子（2）」の意味を含んでいて、物語のなかでユーマンの全個体が「兵力」として編成される際に固有の識別子として政府登録されている、という事実を示している。

（1）語頭のHがサイレントと説明する文中のEGJは、「エンサイクロピーディア・ギャラクティカ・ルジャポン」の意。

（2）オブジェクト識別子（OID：Object Identifiers）：作中で、政府が国内さまざまな地域や職責、研修機関などに所属する多様なユーマノイドを有事総編成するに際して一意に識別するための個体別ID。OIDは、三十二ビットの整数で表される。政府はユーマノイド各個体の起動時に、このOIDを個体別に発行して割り当てる。各情報が、システムテーブル、組み込み関数、演算子、データ型を峻別してハードコーディングされ、一つのメタデータベースとして政府の管理下に置かれる。政府は随時、ユーマンオブジェクトのメタ情報を自在に編集してユーマノイドによる「後方支援」輜重隊、陸戦隊などの特戦部隊を臨時編成する。

1　これはステラには秘密だ

何から話そう。ステラとの出会いからがいい。その朝、僕はステラに会った。

ステラの髪は長い。光沢があるブラウンの髪が肩まで伸びて広がっている。それだけで既に美しい。そして彼女は睫毛が長い。あるとき、彼女は睫毛の上につまようじを載せて見せてくれた。彼女のユーマン（僕らはいつからだろう、ユーマノイドを短くしてこう呼ぶようになった）に手伝わせて、だ。そのときはほかの女の子もいてやってみたが、一秒も、どの娘の睫毛の上にもつまようじはとどまっていなかった。ステラの瞳は黒い。鼻筋もとてもきれいに通っていて、口元も愛らしく、見ていると、こちらの身体が浮き上がってしまうか、逆にヘナヘナと萎えてしまうような感覚に襲われてしまう。とても上品な顔つきだ。歩く姿勢もいい。胸を張り長い首筋を立て、澄ましたように歩く。歩幅はあまり広くないが、歩く姿はとても優雅で気品にあふれている。お化粧？　そんなものはしているのだろうか。素顔ではないのか。詳しいことはわからない。ただ、髪のブラッシングは何回もするのだろう。回数の問題ではないと思うが、とてもよく整って美しいのだ。

え？　僕がステラを好きなんじゃないかって？　きみはなんてぶしつけなことを聞くんだ。そういうことは直接聞くものじゃないぜ。恥ずかしくなってしまうじゃないか。そういうことはきみの想像に任せる。ステラにケント（僕の名前だ）のことを好きかと聞いてみていいかって？　きみはどうかしてるんじゃないか？　まず第一に、きみはステラに会うチャンスがあるのか？　どこに住んでいるかだって知らないだろう。第二に、きみは男の僕に尋ねて「失敬だろう」と叱られたのに、レディーに対してそんなことを聞けるものだと思っているのかい？　よほど能天気だな、きみは…。待てよ、「能天気」。これは使っていい言葉だったかな。

「ケイティー（KT）！」

僕は僕のユーマン（ユーマノイド）に叫んだ。ユーマンが調べてくれる。そうか。大丈夫なんだ。江戸時代からある言葉だが、「能天気」は放送禁止用語ではないらしい。

まあいい。僕も例外じゃないんだが、いまはきみの「軽さ」加減を言いたかったんだ。

えっとね、そうだ。相当古いことだけど、アーサー・チャールズ・クラークという作家がいた。『二〇六一年宇宙の旅』だったかな。作中の人物が「コンピューター！」と叫ぶと、本人の前の中空に画像が表れて、主には音声で検索してたよね。知らないか。知らなくていいよ。ここで言いたかったのは、僕がいま、ユーマンを呼んだのと、そのクラークが書いたシーンとは似てるな、ってこと。違いは、クラークのほうだと自分で操作するんだけど、僕たちの場合は、自分のユーマン（ユーマノイド）に検索させる、ってことかな。

え、なんだって？　ユーマン（ユーマノイド）というのは何か、をまず説明しろ、って？　僕はいま、ステラと会った話をしてるんだぜ。そんな当たり前のことを尋ねるなよ。詳しいことはまた日をあらためて教えてやるから。なに？、いま言え？　しようがないなあ。詳しいことはまたあらためて話すけど、そうそう、それこそそのときはユーマンに説明させたらいいな。いま簡単に言えば、僕たちのそれぞれをサポートしてくれるバイオノイドのようなものさ。バイオノイドとは何か、って？　きみは何も知らないんだな。本当はね、論文に書けるほど詳しいことは僕も習ったことがない。まあ、ロボットではないんだけど、…というか「お付き」、だね。お付きとは何か、って？もう面倒見きれない。そこまではいいだろう。

あ、またどうしてもひと言、挟みたくなった。アイザック・アシモフという作家。もうはるか昔に亡くなったのだけど、『はだかの太陽』って物語を書いた人だよ。その小説で、ベイリという名前の刑事が地球から惑星ソラリアへ殺人事件の捜査にいくんだけど、このソラリア星の人口は全世界で二万人ほどだった。その何十倍もの数のロボットが人間を支えて暮らしていたんだな、地球が人間でぎゅうぎゅう詰めの時代に。待てよ、きみは僕がさっき言った「ロボット」はわかるのかい？　わかる、オーケー。それじゃそれはいい。あのね、そのソラリア星での人々の暮らしと、僕たちのこの国のいまの暮らしとは少し似てると思う。わが国での僕たちの存在、その数に対して、ユーマンの個体数は膨大だよ。何人に対してユーマン何体か、って？　待ってくれ、僕のユーマンのケイティに聞いてみよう。え？　そこまではいい？　ま、いつか話すよ。何だって？「少子化」という言葉を知ってるか、って？　それといま、僕たちの数が少ないのとは関係があるんじゃないか、って？　うん、「少子化」って聞いたことあるよ。かなり以前に始まったことだよね。関係あるかもしれないな。

さあ、もういいだろう。あの朝のことさ。

僕はその朝の散歩に、ユーマンのケイティを連れて出かけた。朝食前だ。ケイティは朝の補給をすませている。え？　ユーマンは補給するのかって？　それは当たり前だろう。エネルギーなくしては動けないじゃないか。充電じゃないのか、って？　ばかを言うなよ。きみはユーマンとロボットを混同してるな。ユーマンは、基本的には生体なんだよ。僕たちと同じように有機物を補給して生体の運動のためのエネルギーを取り込むのさ。ああ、その先、聞きたいことはわかった。廃棄物のことか？　そういう尾篭な話は、いまはするな。レディーと出会う話の途中なんだよ。いいだろ。またいつか言うから。あ、そうそう。ケイティは♀Femaleなんだ。女性だよ。ああ、そうだユーマンには性別がある。それは僕たちと同じなんだ。まあ、ユーマンの特徴の話はおいておいて。

ケイティを連れて、僕はその朝の散歩に出かけたのさ。

ユーマンの一日のスタートは、個体によってかなり時差がある。そのことにもあらためてふれるつもりだが、けさのケイティは、やはり早くなかった。

「ケイティ、早くしろよ」

きみが自分のために予定したほかのことだってできなくなるだろう？　一人でいってしまうぜ。きみだって楽しみにしているくせに。そういうつもりで何度かせかした。

はいはい、という顔でケイティは、ようやく僕について玄関のポーチを出た。ケイティの気持ちを聞くこともあるが、たいていの散歩道は僕が決める。ケイティが、違う道をいきたい、と表情に表すことがあるけれど、基本的には僕が歩きたい道がその日の僕らの散歩道だ。

家の周りには田園が広々と続いている。梨や桃の畑もある。いずれもユーマンたちが世話をするんだ。それらの畑などの不動産は僕の所有ではないが、穀物や果物も手に入る。うちにも届く。それらは各家庭のユーマンが電子的に注文し、配送員のユーマンが搬送車を操縦して届けにくる。朝も早くから、この道を搬送車が通り抜けていく。

ああいった車両や貨車などによるロジスティクス？　これは巨大な産業だ。何しろ多数のユーマンの活動が維持されなければ、僕たちへの奉仕だって滞ってしまう。だからケイティは、全国に広がるユーマンの地域分布を知ることは大切、と言って、その数字を「地域人口」と呼んでいる。どうしてそういう言葉を使うのか…。いつかまたケイティに聞いてみよう。また思い出したら、だけどね。

ふと道路脇の水を張った田を見ると、そこに十羽足らずの鴨が泳いでいた。雄が三羽に雌が五、六羽か。何か互いに言い合っているのだろうか。まだ若い稲が整列した間を泳ぎ回る。できるだけ農薬を使わないことを期して、害虫や雑草を駆除するために放されているのかもしれない。確かにこの田は、周りに垂直に立ったコンクリートの壁で区切られているのだが、どうして鴨たちは飛んで逃げないのだろう。飛べない工夫を加えてあるのだろうか。

田の端が垂直に切り立っているのは、そばに大きな国道が通っているからでもある。国道を載せた堤が盛り土されたとき、以前からあった田の端が堤の壁になったのだ。その国道一号線を、ユーマンが操縦する車両が多数走り去っていく。早い時間からご苦労さまだ。

そんな様子を見ながら、僕はケイティに少し世話をさせた。その国道から一般道にそれてくるランプウエー脇の草地の上だった。ケイティが片付ける間、僕は胸を張って立っていた。言い遅れたけれど、僕は体格がいい。わざわざ競技に出たりはしないが、走るのも速いほうだ。とくに腹が出ているということもないし、腕も脚も引き締まっている。自分なりに気をつけている。ケイティが食事のメニューを考えるときも、健康で頑強な体づくりをしたい僕の気持ちをふまえてくれる。だから僕は、少し小高いこの堤の脇で、すっくと胸を張って立つと、誰から見られるからというのでもないのだが、自分で自分が誇らしい気持ちになれる。

　そのとき、どうしてか僕は気づいた。誰か女の子が僕を見ているのではないか。僕が背中を向けているその風上に、あのステラがいた。

　振り向いて気づいた僕は、少しショックを受けた。彼女の美しさに。ケイティも僕よりも遅れて彼女に気づいた。「かわいいわね」と、その子のきれいさにケイティも気づいたようだ。僕とステラはそのとき、お互いを見つめ合っていた。きっとたっぷり八秒間は。そしてステラは目を伏せた。

　僕がじっとしていると、ステラが僕のほうへ近づいてきた。ステラもユーマンを連れている。ステラがそばまできた。が、立ち止まらない。ユーマンを従えて国道の下をくぐる隧道に続く道へ進もうとする。その歩みが、気持ち、遅く見える。僕に何かを言うチャンスを与えているつもりなのだろうか。それで僕は声をかけた。

「おはようございます」

　彼女は、ふと立ち止まって、長い髪を揺らせてこちらを振り向いた。ここに僕がいることに初めて気づいたような表情だ。何げないそぶりで彼女は言った。

「あ、ごめんなさい。おはようございます」

　それだけ言って、また歩みだそうとする彼女のほうへ、僕は何歩か間を詰めた。髪からか。すてきな香りだ。

「急に声かけて、僕こそごめんなさい」

「あ、はい」

「朝、この道、よく通るんですか」

僕はそう尋ねてみた。

「ええ、いい道だな、と思って。でも越してきたばかりだから、初めてなんです」

「ああ、そうだったんですね」

あまり長い時間引き留めて、初対面なのにどうなの、この人、と思われてはいけない。

「僕の名前はケントです」

「あたしはステラ」

そう言って、彼女はにっこり笑った。茶色く長い髪。黒い瞳。長い睫毛。そして何よりもすてきな香り。それを残して、彼女は隧道をくぐる道を進んでいった。

見送る僕に、ケイティが話しかけてきた。

「どうしたの、ケント」

僕はステラのほうを見ているのに、ケイティは僕の目の前でヒラヒラと手を振って、僕があらぬところを見ていることをからかうかのような口調だ。

「かわいい娘だわねえ」

ケイティも、ステラとそれに続くユーマンの背を見送りながらそうつぶやいた。ついいましがた、ステラと僕がほんのひと言ふた言交わしている間に、ケイティはステラのユーマンとユーマン同士早い口調で会話を交わしていたのだ。

「あの娘はステラ。今度越してきたおうち、近いわ。彼女のユーマンはアーノルドっていうのよ」

そのときだ。ステラの叫び声が隧道の向こうから聞こえたのは。ステラ、どうしたんだ。

「なに？　どうしたの？　ケント、いきましょう」

ケイティも気づいて言う。

「うん！」

ケイティを振り返ってそう叫ぶと同時に、僕はもう駆けだしていた。いつも自慢の速度にさらに加速して、トンネルを駆け抜けた。ユーマンも走るが速度はとても僕らに追い付かない。

そこには池が広がっている。さっきの田と同じように国道の堤によって壁は切り立っている。そのすぐ下に、母とその子らしい二人が、水面に広がるスイレン科の水草の間でばしゃばしゃと浮き沈みしているのだ。

僕は一瞬で見て取った。誤って子が池に転落し、それを助けようとしたその母が水に入ったのだが、池は思ったよりも深くて足が立たず慌てているところなのだ。

「たいへん！　たいへんよ！」

ステラが叫ぶ。ステラのユーマンであるアーノルドも、何とかこれを助けられないか、と、おろおろしている。ユーマンにも、危急の事態であることを認識する機能は備わっているのだ。

ケイティもトンネルをくぐって駆けてくる。待っている余裕はない。母子が浮き沈みし、水面に顔を出すたびに幼児の泣き声が、肺から水を出そうとせきこみながら途切れ途切れに聞こえる。ステラのユーマン、アーノルドが、木の枝などを探しているのか、池の岸を木立に向かって駆けているのを見ながら、僕はその池に飛び込んだ。高さは道から二メートルもない。もちろん、脚からだ。六月の朝、まだ肌寒さも残る気候だが、迷ってはいられない。いったん水にもぐってから頭を上げ、僕は犬搔きをしながら立ち泳ぎで、母子に近づいた。

「大丈夫？　おかあさん、大丈夫ですか！」

僕は呼びかけた。

こういうとき、本当に溺れている人は救助者にしがみついてくる。しがみつかれて救助者が一緒に溺れることはままある。だから、僕が習ったところによると、救助を要する人、要救者をいったんは無理やり沈めてしまい、「だめだ」と、諦めたときに顎を引き上げて片腕で搔いていくのだ。しかし、いまそこまではやらなくていいだろう。幼児を助ければ、母親は何とかなりそうだ。僕はそう判断した。

「おかあさん、大丈夫。子どもから離れなさい」

母親は必死の形相で僕を見ると、僕の屈強な体軀を見抜いたのか、少し安心したように、自分だけが水を搔き始めた。彼女の頭はしっかり水面から出ている。大丈夫。

そして僕は、幼児を肩につかまらせ、背に乗せるようにして、断崖ではないほうの木立がある岸をめざして池を泳ぎ渡った。母親はコンクリートがタイル状に並べて貼り付けられている壁のくぼみにすがりつきながら、時間をかけて木立の岸に回ってきた。母親が岸に上がるのを、アーノルドが助ける。僕とユーマンのケイティは、というと、幼児を草むらに寝かせ、うつぶせにして背中を叩いて水を吐かせていた。要救者は二人ともしっかり意識がある。子どもは岸へ上がってきた母を見て、水死する恐怖で忘れていた、泣くことを思い出した。母が急いで子に駆け寄って、やはり泣きながら子をいつくしんで抱き締める。

「ケイティ、相談してる間がなかったよ。これでよかっただろ?」

僕が僕のユーマンを見る。ケイティが僕を見る目は尊敬のまなざしだ、と僕は思った。そして、その僕を、あのステラもまた目を潤ませて見つめてくれている。ステラも母と子を介護しながら、だった。

母も子も、まったく泳げないはずはないのだ。しかし、子が転落したことに慌て、動転して飛び込んだ母が、子と一緒になって組んずほぐれつするうちにお互いの自由を奪い合い、泳ぎをじゃましあって溺れてしまっていたのである。

「…あの、もし、ありがとうございます。何と申し上げたらいいか」

母親が言った。

「どうぞお名前を聞かせてください。あたしはこの近くに住んでいる「ののか」といいます」

「あはははは。何でもないですよ。じゃ、お気をつけてね。お子さんにも。ユーマンにしっかりさせないとね」

「ありがとうございます。本当に。どうかお名前を」

そう言うののかという女性に、口を挟んでくれたのがステラだった。彼女の口数は多くない。

「ケントさん、ですよ」

「ケントさん、ですね。ありがとうございます…」

そう言ってくれたのかさんの顔色が少し陰った。彼女は続けた。

「本当は夫からもお礼を申し上げたいのですが、いま外国にいるんです…」

と何か不安そうな顔つきだ。彼女のその顔つきを、ケイティは見とがめたようだった。僕としては、夫の留守中に子が池に落ちたら妻が動揺しても不思議はない、と感じていた。

「いや、何でもありません。それじゃ」

僕は言った。そのとき、ケイティが、ステラのユーマンのアーノルドと何かをささやき交わした。挨拶だろう。

ステラの指示があったのかどうか、あのステラのユーマン、アーノルドが、僕が二人を助け上げる前、池に飛び込んだころだろうか、携帯を使って消防車を呼んでいた。消防車は少しして着いたのだろうが、その到着は、僕とケイティが要救者二人の無事を見届けて池をあとにしてからだった。のちに、ケイティがアーノルドから聞いた話では、消防車よりも早く、母と子のユーマンが、青い顔をして飛んできたらしい（とくにののかの身体を心配した様子で）。ユーマンも感情が表情に現れる。アーノルドが、どうしてしっかりとついていなかった、と責めたらしいが、その飛んできたユーマンは、丁寧に詫びてお礼を言ったうえで、助けた僕のことを聞いたという。また、駆けつけた消防士に対しても、そのユーマンは事情を説明していた、ということだった。それから、あのののかさんの外国にいるという夫は、バクダードで何とかという名前の「作戦」に参加していると（少し誇らしそうに）告げられた、とのことだった。

とんだ散歩を終えて、僕とユーマンのケイティは、そこから真っすぐに家へ帰った。

「ケイティ、ご苦労さま」

僕は玄関を入ってからケイティに言った。

「ケント。おー、ケント。あなたこそ、ご苦労さま」

「うん」

僕はこたえた。いまケイティが言ってくれたと同じことを、きっとあのステラも心のなかで思ってくれたにちがいない。そう思いながら、僕は胸を張って立っていた。

「体も冷えたでしょう。すぐにお風呂にしましょう」

ユーマンは気が利くものだ。アイザック・アシモフのロボット工学第一条本文は、たしか「ロボットは人間に危害を加えてはならない」だった。ユーマノイドもそれをわきまえているのか。

また、もう一つ書くと…。ユーマンとしては客観的に僕のためを思って勧めているのだが、実のところ、僕は小さいころから「お風呂」は大嫌いだ。その言葉を聞くと鳥肌が立って逃げ出したくなるときさえある。けれど、（明日もステラに会うかもしれないことを考えれば）清潔にすることは大切だし、きょうはケイティが言うように「体が冷えた」ことも事実だから、忠告に従うことにした。

「ありがとう。平気だけど、バスルームは使うよ」

平気、と言いながら湯船を使った僕は、その晩から熱を出し、三日間、ケイティが看病してくれた。これはステラには秘密だ。

2 ヴァートのこと、ユーマノイドのこと

手塚治虫という医者がいた。故人だ。漫画家でもあった。古典としてひもといた手塚作品には、プロローグが恐竜の時代だった作品がいくつもあった。「そこまでおおげさに言うのか」「風呂敷、大きすぎるぞ」と注文をつけたくなったものだ。いま聞いてくれているこの話の始まりを、そういった手塚漫画のようなプロローグとしてもよかったかもしれない。しかしそんなふうにたいそうに話を始めるのは、僕の性に合わない。そこで、ちょうどそのプロローグになるような、そもそもこの物語が置かれている環境を説明してくれるヴァートというユーマンを紹介したい。

例のあの池に飛び込んだ日の翌朝、僕は高熱を発したのでケイティを連れてクリニックにいった。ケイティに僕の車を運転させて、だ。つまり、僕のユーマンであるケイティは、僕のショーファー（運転手）でもある。もっとも、そういう言い方をするなら、ケイティは僕のコックでもあれば家政婦でもある。小間使いのようなこともすればメイドとしても働くし、他家とのやりとりも、その家のユーマンを介してやってくれる。必要な買い物には僕が同行することもある。しかし、たいていの日用品などは何も言わなくてもケイティが必要なだけ買いそろえてくれるし、光熱費や水道・ガス・電気料金も管理して家計簿までつけてくれる。記帳はパッドに入力するだけだから、簡単だ

けどね。

待った。こんなことを話していたら、先が続かない。

僕は、ケイティを連れてクリニックにいったんだ。

ここの医師はヴァートというユーマンだ。えっ⁉ ユーマノイドに医者が務まるのか、って？ユーマンの個体は、誕生して起動すると同時に教育を受け始める。まあ、僕もきみもそうだったようにね。あ、もちろんきみがいま教育の真っ最中だ、って場合もあるだろう。彼らユーマンもナーサリーのような幼年期の保護を経て、科学も言語運用能力も知識の蓄積も思考力養成もまったくのゼロから始める。訓練もある。電子装置のように、「アプリケーションを買った、ソフトを手に入れた、はい、インストール！」…のような手軽なものではない。ユーマンの教育には費用も時間もかかるのだ。どんな職業までをユーマノイドに任せられるのか、って？ それはかなり広い。子どものころ、僕らを生んだ親もいろいろなことを教えてくれたが、すべてではなかった。例えば絵本を読み聞かせてくれたのはユーマンだったし、電子情報や画像を見せる係もユーマンだった。つまり、保育をすれば教師を務めるユーマンもある。役所仕事も電気電子的な機械とシステムの力を使いながら、ユーマンが広い仕事を担当してくれている。政治の世界も、だ。しかし、いまはまず、僕がヴァートの診察を受けたときの話だ。

ヴァートについて言えば、その名前が気にくわない。なぜか、って？ うーん。そのヴァート、という音が何かの略語のように聞こえて、そのもとの言葉が何を意味しているかが無意識に理解されて耳につくんだなあ。ま、いまはいいいか。

ヴァートの診断を受けて、僕は風邪をひいていることがわかった。

「ケント。活躍したんだってね。水泳チャンピオン！」

ヴァートが冷やかすような口ぶりで言った。

「なぜそれを知っているのですか」

僕のユーマンのケイティがユーマンのヴァートに尋ねた。

「そんなことは何でもお見通しだよ」

笑いながら言って、ヴァートがウインクした。

「不思議です」

ケイティが言った。もちろんユーマンたちには、会話して知らないことを知ろうとする、また知ってそれを以後の活動に生かそうとする機能が備わっている。

「不思議なことには必ず理由があるんだよ」

ヴァートが答えた。僕は、というと、熱で頭が重いこともあったのだけど、聞いているだけで次々に知りたいことが話題になるので、ユーマンたちにしゃべらせておいた。僕は、短く息を継ぎながら、耳を澄ませていた。クリニックの診察室は不快ではない。また、次の患者が順番を待っているわけでもない。待合には誰もいなかったのだった。薬剤の匂いが鼻につくこと（これだけは実はいつも閉口するんだけど）を除けば、居心地は悪くなかった。

「『不思議だけど理由がわからない』ってことも、ありますよ」

ケイティが、同じユーマンであるヴァートにくってかかった。

「あのね、ケイティ、まだ僕たちが知らないことが宇宙にはたくさんある。だから、何か起きてるな、ってことだけがわかっていても、その原因が何かについては、まだ誰もが納得できるレベルまでは明らかにできてないことがある。残念かもしれないけど、それは事実なんだよ」

「それなのに、「不思議」には必ず理由がある、って言えるんですか？　いまのお話だと、理由はない場合もある、って結論になると思う」

「そうだ。私たちは何千年もの昔から、世界のあり方を解明しようと努めてきた。その「解明をめざす態度」が科学であって、「不思議には理由がある」ものなんだ」

いまヴァートが言った「何千年」は、当然、人類の歴史を前提としている。

「科学は、誰もが疑いえないものと認めた場合に限って「事実」と「理論」を積み重ねてきた。でもね」

そこでヴァートが言葉を切った。

彼は、ケイティと僕が熱心に自分の言葉を聞いているさまを見つめていた。ユーマンはとても思慮深い。そしてそれらのなかには、その個体なりに突き詰めて考えた結果を、なんとしても聞き手に伝えきりたい、と強く願う者も出てくる。ヴァートは、そういったタイプのユーマンなのだろう。しきりにケイティと僕の顔を…とくに僕らの目をのぞきこみ、見比べながら、こちらの理解の程度を見分けようとしていたのだと思う。

「でもね」

ヴァートが言葉を続けた。

「何かを予感して寒けがする、ってないかい？　いまのようにケントが風邪をひいてする寒けのようなときばかりじゃなくて。何か悪いことが起こるかもしれない、という予感がする、とか、「第六感がはたらく」とか。統計的に見ると確かに否定できない因果関係があるように感じられるのだけど、「その人の感覚とできごととの間にどんなつながりがあるのかについては、まだ誰をも納得させる関係を見いだすことができてない」というような。そんなことも、あるんだよ。また科学で解けないものとして、「寿命——生物はなぜ死ななければならないのか」とか「プラシーボ効果——ニセ薬が効くことが事実あるのはなぜか」とか、いくつもの謎がまだ残されているんだ」

ヴァートがそう言うと、ケイティが、いま聞いた言葉を噛みしめるかのように、ゆっくりとうなずいて言った。

「うーん、そうなんですね。その両者に何らかの関係があることは認められながらも、なぜそうなるのかが説明できない、ってことを人類は無数に経験してきた」

それを聞いて、ヴァートがさらにケイティを励ますように声をかけた。

「そうそう。そのとおり。そして…」

「そして、その両者の間に、疑いえない関係があること、またその関係が何によってもたらされているかを説明し、そのことを誰も否定できない事実であることをみんなが認め、その認められたことを積み重ねてきた、そういうことなんですね」

ヴァートの顔が急に明るくなった。

「そのとおりだよ、ケイティ！」

ヴァートが右手の親指を立てて、ケイティにそう言った。

そのヴァートのサインを見て、半分笑いを浮かべながらも、まだ不思議そうな面持ちを残したままでケイティはゆっくりと言った。

「うーん。そういうことなんですね。不思議だけれど両者の間に関係あるなら、そこには必ず理由がある。逆に言えば、疑いようがない説明ができないことを「理由」と説いている者を簡単に信じちゃいけない、ってことなのか」

ケイティはうなずいている。それを見ながらヴァートが言った。

「そう。わけがわからないこと。関係がない二つの事柄の間に、不必要に何かのつながりがあることを信じようとする、それは科学的ではない。それがだましや害悪につながっている場合は要注意だ。そういう新興宗教が不当にお布施を集めたり、何十人もの人殺しをしたことがあったね。そういったことはよく見ておかなければならないね」

ヴァートはいいことを言うと思う。ユーマンもしっかりと教育を受けて身に付けるものを付けていけば、たいしたことを言うまでになるものだ。

そのとき、診察室の奥の扉で四回のノックが聞こえた。ヴァートがそれに向かって返事をした。

「いいよ」

すると、ヴァートのユーマンではなく、クリップされた数枚の書類を載せた盆を掲げて、自走する「シップス」がヴァートの背中に近づいた。

「ありがとう、シップス」

ヴァートが届いたプリントを取り上げてそう言うと、シップスは返事のかわりに短い電子音を立てて戻っていった。

シップスとは何か、をひと言だけ説明する。

書類だとか飲み物だとか、場合によっては食べ物も運搬する、…たくさんの荷物を運ぶときはキャリアを引くこともある…主には屋内で使われている機械だ。床の掃除などに使われることもある。

シップスという名称は、いま入ってきたマシン一体自身に付けられた固有名詞ではない（普通は、「ケイティ」のような呼び名をもつものではない）。例えば、自動掃除機の種類が「るんば」だったら、それぞれの家庭が自分のマシンを「るんば」と呼ぶようなものだ。

あらゆる家庭に自走掃除機があったわけではなかったように、僕はシップスをもっていない。…というか、ケイティから相談もされたことがないし、ケイティ自身もあれが好きではないようだ。

もし僕がケイティに尋ねたら、こうなるだろう。

「ケイティ、なぜシップスを買わないんだい？　部屋の掃除にだって便利だろう。たくさんのおうちで使ってるみたいだよ？」

「何言ってるの、ケント？　お掃除は自分でするものよ」

みたいな、ね。

それから、なぜ「シップス」という機種名称なのか…。あ、ごめんごめん。全然「ひと言」じゃないね。またいつか言うよ。詳しくはケイティに調べてもらうといいんだけど、帆船が航海していた時代に、スタッフのいちばん下っ端だった少年たちが…。あ、やめた。

そんなことより少し気になることがあるよ。ヴァートは、どうしてモニターに引き出せる情報を、わざわざ紙に印刷して同じ院内でやりとりしたりするのだろう。まあ、ユーマンのすることだから。そして、それでクリニックが問題なく運営されているのだから、僕が口を挟む必要はないかな。

そのときケイティは、というと、シップスが戻っていくあとを見送っていた。そしてそのケイティが言った。

「ヴァート？」

ヴァートは、シップスから受け取った書類に目をやったままだった。何か急用が記されているのか、というと、そうでもないらしい。「ちょっと待って」とも言わないし、声の調子もいままでどおりゆったりしている。ヴァートが返事をした。

「ん？　なんですか？」

それを聞いて、ケイティは詫びるように言ったよ。

「ケントの診察は終わったのに、いつまでもごめんなさいね」

どこまで気にかけているのか知らないけれど、ケイティがそう言うと、ヴァートが余裕を見せるようなそぶりで言った。

「次のクランケがくるまでだったら、好きなだけいてくれていいんだよ。僕自身がいま、急用がないし、それに、僕はケントとケイティが大好きだからね」

ケイティも、だったかもしれないが、僕も少しうれしくなった。

「だったら、もう一つだけ教えてくださいな、ヴァート」

ケイティのヴァート院長へのなれなれしい言葉づかいを、ヴァートは気にしていないようだ。フレンドリー。院長がそんな人だから、僕もケイティもこのクリニックが気に入っている。もちろん、こちらの医院の立地がすてきな場所であること、また僕たちの住まいから適当な距離であることも、僕たちがここを選んだ理由だよ。

…あ、そうだ。きっかけは、ケイティが「ケント、ここ、いいのよ。教えてくれた友達があったしね」と率先して言い出したんだったなあ。もちろん一緒にきて、ぼくもこの医院が大好きになった。なぜか、って？　それはね、ヴァートが聴診器を当てる合間に僕の手を取ったり、背中や頭、耳の付け根に触ってなでて様子を確かめてくれるときは、僕は本当に安心してゆったりした気持ちになれるからなんだよね。

そうそう。このゆったりしたムードがいいんだな、きっと。どの患者も、どこかよそのクリニックで感じるかもしれないようなこと…。例えば、「ここ、って何？　怖い。みんなせかせかして、わたしも焦っちゃうよお」みたいな感じは、きっと、ここではもたないものね。やはり、安心できるところがいいところなんだ、と思うなあ。

「はい？」

とヴァートが尋ね返すように返事すると、ケイティが、…どうやらここからが本格的な質問らしく、少し改まった様子で尋ねた。

「さっきのシップス。あたしは使ってませんが、ヴァートは、シップスのようなロボットが好きですか？」

ヴァートが、不意を突かれたように書類から目を上げて、ケイティに尋ね返した。ケイティの声が少し真に迫ったように聞こえたのだろうか。

「なんでまたそんなことを聞くの？　ケイティ」

するとケイティが言ったよ。

「いま、あたしはケントが大好きで、ケントもあたしをよく思ってくれているし、助け合っていると思います」

ケイティが話していることは、そのとおりだと僕も思う。それにその内容はうれしい。いるよね、「好きとか、愛してる、なんて、言外に伝わるものであって、そんなことはわざわざ口に出して言うものじゃない」って、いう人が。それはそれであることかもしれない。けどね、僕はそうは思わないな。うれしいことはうれしい、好きなものは好き、いやなことはいやと口に出して言うこと、自分の気持ちを表現することが大切だと思うよ。

あのときはあの態度で叱ったが、実はその人のことを強く思っていたから言ったことだったんだ、とか、ね。それは「アトダシ（後出し）」だよ、僕に言わせるとね。いいところはいい、いけないところはいけない、それをその場できちっと言わなくちゃ。それをしてくれるのが、…とくにね、「好きだよ」と、口に出して相手に正面から言ってあげることができるところ、それが、僕がケイティのことをいちばん好きな理由のひとつだなあ。

そこでヴァートがケイティに尋ねた。

「そのことがどうかしたの？」

それでケイティが続けた。

「あたしたち…。ケントとあたしの、こういった関係の間に、ロボットが割り込んできたりしないか、とか…、そんなことをヴァートがどう思っているか、一度聞きたかったんです」

するとヴァートが何か考えながら言った。

「うーん。まず、身近なところからの話だけど、シップス程度の機械は、とてもロボットとは言えないね」

ヴァートに言わせると、ロボットは、人間の格好をして同様の機能を再現できるよう工夫を加えられたオートメーション、らしい。

肝心なところは、人間に似ているところにあるんだって。人間と共同したり、人間のかわりになって働く、遊ぶ、他の人間の役に立つ…。オートメーションもそんな役割を果たすけど、人間の「友達」じゃない。シップスは、自分で走行するけど、与えた命令を狭い範囲で実行するオートメーションにすぎない、らしいんだ。

オートメーションは、いろんな分野で開発されてきた。人同士の情報交換を担保する分野では、それらのハードウエア、ソフトウエアがこの数十年の間に人類史上なかった各段の進歩を遂げてきた。ケータイ端末をはじめとするそれらの「オートメーション」のハードとソフトが、人の生活や勤労を広い範囲で補佐するようになった。

「だから、ロボットを、世の中は必要としなくなった…、ってことなの?」

ケイティがそう尋ねると、ヴァートが返事をした。

「僕自身は、ロボットには期待してるところがあるんだ」

「でも、犬や猫も好きなんでしょう？」

「ああ、大好きだよ。動物はみんな大好きさ。命をもつものを大切にしたい。そう思って、僕はこのクリニックをやってるんだもの」

ほんとう。それはまったくそのとおりだわ、とケイティはあらためて納得するような表情になってうなずいた。

ヴァートが続けた。

「特に僕が動物を好きなわけは、彼らが人間の友達になってくれるからだね」

ケイティが、ヴァートの言葉を口の中で繰り返していた。

逆に言うと、ヴァートは、ロボットは人の友達にはなれないと言っているのだろうか。ケイティはそれをヴァートに尋ねた。

するとヴァートは笑いながら答えた。

「それはまだ僕にはわからないなあ。人間を補佐して、人間と共同して働くことができる、人間の格好をしたマシーナリーが人間の友達になれるのか…」

それから急に暗い顔つきに変わったよ。

「場合によっては、機械だったら、人間が破壊される代わりに身代わりになってくれることができる…。そうなんだ。命のある動物は、人間の犠牲にしてはいけないよね」

そこからケイティも、急に暗い顔つきに変わった。そして、

「機械と動物…。動物は命をもっている。生命をもつものを足蹴にしたり、人間の犠牲にしたり…、そんなことは許されないはず」

とケイティが言い、

「僕もそこは、まったく同意見なんだよ、ケイティ。機械のハードウエアは、蓄積したそれまでのアーカイブさえシェアできれば、いつ新しいボディーに変更されてもむしろ大歓迎だものね、けれど…動物の命は失われたら戻らない。二度と、ね…」

とヴァートが答えたかと思うと、二人はユーマンらしい高速の会話に入った。僕は、それまでの会話のあとに続いた話題が何であったのかは想像することはできたが、正確には二人がどんなテーマをつなぎながら次々としゃべっているのか、わからなかった。

　途切れ途切れにわかった言葉のなかには、「人間型の考える機械」とか「恐ろしく高価」とか「動物なら格安」とか「ゲノム編集」などがあったなあ…。

　もしかすると、さっきまでの会話は、僕にも聞いてほしかったが、そのあとの話は、特別に聞かせたいとも思わなかった、ということなのかもしれない。むしろ、僕には聞いてほしくない、ことなのかもしれない。

　でもまあ、ユーマン同士のやりとりだ。好きにやっておいてもらおう。僕に、特別に意見を求めてきているわけでもないのだしね。

　しばらく交していた二人の会話は、だんだんに遅くなってきた。それからの、ヴァートの声、ケイティの声は、僕にも聞き取れた。

「ロボットが開発されていくことには、ぼくは期待するよ。僕は、ケントたちや僕たちユーマンにとっても…、両方にとってロボットは役に立つものになるだろうと思う。その開発の行方が、きみとケントの間に割り込んで何かじゃましたりするようなものになるとは、いまのところ？　僕は思わないなあ」

聞いた言葉をかみしめているのか、ケイティは、ひと言お礼を言ったよ。

「ありがとう、ヴァート。あなたの考えはよくわかったわ。あたし自身がもう少し考えてみたいことも、何かはっきりしてきたように思う…」

ヴァートはほほ笑んで、ケイティに向かってうなずき返していたよ。

そのとき診察室へのインターホンが鳴って、受付を務めているユーマンが、ヴァートに次の患者が来院したことを告げた。

明るい顔をしてヴァート院長はケイティの肩を叩いた。

「じゃ、ケントをお大事にね」

そう言われて、僕たちはヴァートの診察室をあとにした。

僕たちは車に乗った。やはりケイティが運転する。僕が助手席に陣取る。

「ケント、シートベルトしなきゃ。ちょっと待って。締めてあげるわ」

そう言って、ケイティは、僕のほうへ身を乗り出した。ケイティの髪もいい匂いがする。

けれど、ここで断っておくよ。僕はケイティという女性も好きだけれど、彼女はユーマンだ。僕の周りで僕のためによく働いてくれるし、彼女も僕を好いてくれているだろうけれど、僕は彼女に恋をしたりはしない。断じて。

「はい。これで大丈夫よ」

ケイティが言った。僕はそうしてくれた彼女を少し見つめた。

「なあに、ケント」

ケイティが僕を見返す。

「あ、いいわよ。窓、開けても。本当にケントは車で風を浴びて走るの、好きなのね」

そう言って、ケイティは助手席側のウインドーを運転席で操作して下げてくれた。自分でしろ、って？　それはそうしても、もちろんいいんだけど、一応運転を任せている以上、ドライバーが車全体の状況をしっかり把握しておくことも大切だからね。

安全のために、ケイティはチャイルドロックもかけて、車をスタートさせた。

風が窓から入ってくる。ケイティは自分の後ろの席の窓も開けたので、僕の窓から入った風が斜め後ろへ吹き抜けていく。気持ちいい。僕はこの風が好きだ。つい窓から顔を出したくなるのだが、それは危険だ。わかっている。車に乗って風が好きとは、なんて子どもっぽいんだ、って⁉　うん。なんとでも言ってくれ。僕は好きだ。こうやって風を受けて、短く息を継いで景色を追いかけるのが大好きなんだ。なぜかな。自分が走ることもそうだけど、僕はスピードが好きなんだ。

「ケント？」

ケイティのほうから僕に呼びかけた。なんだい？という顔を向けると、ケイティはハンドルを手に、前を向いたまま、しんみりとした口調でおさらいを始めた。

「人間の形をして人間を補佐するロボット…。人間とともに働いてくれるロボットが開発されるのはとてもいいことなのね」

そうだね。ヴァートもロボットの開発には期待していた。

そう思って僕が聞いていると、「ケント?」と、いま僕に呼びかけてきたケイティは、まるで自分にも言い聞かせるように次々と声にしていったよ。

「大事な点の一つと思うのはね。マシンとしてのロボット…それは、そのメモリーの蓄積をコピーできるなら、そのハードボディーについては、「かけがえがある」ってことじゃないかな…。あたしはそのことを強く思ったわ」

そうか、ケイティ。きみはそう感じたんだね。

「それに対して、動物の命は、一度失われるともう戻ってこない。人間の命も動物の命も「かけがえがない」ものなのよ」

うん。そうだね。ユーマンも生命体だから、その命は何よりも大切なものの一つだよね。

「じゃ、ロボットの存在は、生き物の命より価値が低い、ってこと?」

ケイティは、自分で言いながら考えてる。

「いいえ、役に立つロボットは開発すればいいのだけど、それと生き物の価値とはまったく別の次元のものなのよ。だから、ロボットは動物の代わりにはならない。動物はロボットの代わりにはならない。…そうよね」

うん、きっとそうだよね。

「だから、ケントとあたしの間にロボットが「割り込む」ことはないし、あたしとケントが引き離されることもない。…そうよ、いくら高価だからといっても、ロボットを使うかわりに生き物で穴埋めしよう、なんて考えられないことなのよね…」

ん？　何を言ってるんだ、ケイティ？　もしかして、きのう池で助けた男の子とそのお母さん…、えっと、名前は、ののかさん…、その夫が外国で何かの「作戦」に参加してる、っていう、あの話が関係あるのかい？…。

ケイティがまた続けた。

「…そこを。あたしは、もっと考えてみるわ」

そうだね、ケイティ。考えることはとても大切なことだぜ。

そう思いながら、僕はとくに何も口にせず、風に吹かれて窓の外を見つめていた。その僕の形のいい耳と頭をケイティが見つめてくれているのが、僕にはその気配でわかった。見つめてくれるのはうれしい。けれど、僕は振り向くと、初めて口に出して言った。

「だめだ、ケイティ、わき見運転は！　前を見ろ！」

ケイティが、

「ごめんなさい！」

と言ってハンドルをつかみ直すと、僕たちの車は、夏の日が注いでくる、両側に木立ちが並ぶ舗装された道を軽快に走り抜けていった。

その四日後、またクリニックを訪ねた帰り道で、僕は車の窓の外に、ステラが歩いている姿を見つけた。

3　ののかの夫ヴォルフガングのこと

「ステラ！」

車の窓の外に、ステラの後ろ姿を見つけた僕は叫んだ。僕の車は彼女らに近づいていく。

「どうしたの？　ケント」

ケイティが僕を振り向く。

「ほら、あれ。向こうをステラがいくよ」

僕が指し示す歩道の先を見て、ケイティも、ステラとステラが連れているあのユーマン、アーノルドに気づいた。

「あら、アーノルド。ステラと町まで散歩にきたのかしら」

そう言いながらケイティは、気を利かせて、僕が陣取っている助手席の左窓を下げてくれた。どの車もハンドルは、この国では右についている。車道は左側通行だ。運転席が車の進行方向に対しては右側にあって、助手席は左側だ。煉瓦状のタイルを貼った歩道をステラとアーノルドが歩くのに合わせて、僕の車も歩く速度になって追い付いた。

ところで、ユーマンは僕たちよりも先に、そのお付きのユーマンに興味が湧くようだ。細かいことだが、「ステラとアーノルド」と言えばいいところを、「アーノルドとステラ」のように順番が逆に思える言い方をする。アーノルドが、上背があって、彫りが深くハンサムなことも、その理由の一部を構成しているのかもしれない。ま、何が理由かは自由だけど。僕はそんなことで目くじらを立てたりしないから。

歩く速度の車の窓から、頭を乗り出すようにして僕は呼びかけた。

「ステラ！」

その僕の言葉と同時に、ケイティも声を上げた。

「アーノルド！　奇遇ね。ケイティよ」

「あら、ケント！」

ステラが振り返って僕に気づき、うれしそうにそう言ってくれた。「うれしそう」というのは、僕が感じたことだったのだが。

そのステラの言葉と同時に、アーノルドも僕たちに気づいて声を返してくれた。

「ケイティ！　車で街まで。どうしたの？」

そんなのは質問でもなく、挨拶にすぎないのだろう。それより僕もステラに話した。

「ステラ、急いでるのかい？　僕はちょうど通りかかったけど、とくに急ぐ用はないんだよ。お茶とかどう？」

ステラは、それを聞いて少し慌てて目を伏せた。けれど、すぐに瞼を開き、アーノルドのほうを見てから言った。

「あたしのアーノルド、って、…あなたのユーマンのケイティとお話しできることが、まんざらじゃないみたい」

「うんうん」

え、そうなのか？　…と思いながらだったが、僕はステラのことばに大きくうなずいてみせた。

「いいわよ。それじゃ四人でお茶しましょう」

そう、ステラが応じてくれた。四「人」というのは、ステラのような上品なユーマノイドと僕たちを、不必要に分け隔てしない考えからの表現だ。

「乗る？　きみたち」

僕が尋ねるとステラが答えた。

「いいのよ。この道、すてきだから、あなたたちも歩かない？　この先にあたしがよくいくカフェがあるのよ。それに、ちょうどよかったわ。少しお話ししたいこともあったし」

「きみから何か話したいことが？　オーケー。いいよ。降りる、降りる」

僕とステラが話している間、ケイティはちゃっかりアーノルドとしゃべりあっていた。それも、顔を出した僕の脇から、窓越しに、ユーマン特有の早口で。僕たちの結論、カフェに同行することになったことを喜びあっているな、と僕は思った。

ケイティに車を路上のパーキングスペースに駐めさせて、僕らは車を降りた。

「ステラはいまの家に越してくる前は、このあたりに住んでたのかい？」

僕がステラに尋ねた。僕たちは二列縦隊。ステラと僕が前を、ユーマンのアーノルドとケイティが並んで後ろを歩く。人も多すぎない。街路樹が続き、季節的に強くなりつつある日差しから歩道に影を作ってくれている。露天商のようなアイスクリーム売りや、リアハッチを跳ね上げてハンバーガーを販売しているバンも駐まっている。

「いいえ、違うわ」

続けて、ステラは前に住んでいた地名を言った。

「ふーん。そうなんだね」

言い合いながら歩くうちに、アーノルドが後ろから声をかけてきた。

「ステラ？」

入ろうとしていた店にたどり着いたらしい。

「ここよ」

ステラは語尾を上げて言うと、先に立って、その店の自動扉から入っていった。僕らも続く。

「ステラ、きょうもきれいだね。いらっしゃい」

店員のユーマンがあいそよく声をかけてくれる。アーノルドへも。

「アーノルド、おはよう。きょうもありがとう」

「おはよう、ジェフ」

とアーノルド。

「この席、いいでしょ？」

ステラがジェフにそう言って、一面ガラス張りの、外を見渡せる席に着いた。

「いいよ、ステラ。その席が好きだね」

店員のユーマンのジェフが答えた。

「きょうは二人っきりじゃなくて、すてきなお連れさんが一緒なんだね。うわ、立派だなー」

ジェフは、僕のことを言っているようだ。それを聞いて、ケイティはもちろん、ステラもうれしそうな顔をしてくれている。と、僕は思った。

二人のユーマンは、それぞれ僕とステラの脇に座った。僕は、ゆっくりと伸びをしてから、ステラのすぐ前に向かい合った。アーノルドが代表して僕らの飲み物を頼んだ。ユーマンたちは話を始めた。ユーマンたちはお互いに知り合いでないと、また僕らがあの人に尋ねてこいとでも命じないかぎりは、一、二度顔を合わせた程度のほかのユーマンとはお互いに話したりしない。しかし、僕のユーマンのケイティとステラのユーマンのアーノルドは、過日の池での騒動があって、急に親密さが増したようだ。

「ケイティ。ここの街にはよくくるのかい？」

「ええ。この通りはすてきよね。バイパスを通ってもよかったんだけど、この石畳の道を、時間かかっても通って帰ろうと思ったのよ。あなたたちはよくくるの？」

ケイティの問いに、アーノルドが答えた。

「うん。くるよ。ステラもこの店が好きなんだ。いいやつだろ、あの店長のジェフも？」

そう言ってアーノルドはカウンターの奥で立ち働いているユーマンのジェフのほうへ顎をしゃく

った。ジェフは店長なんだ、僕は思った。

「それできょうは、どうしたの？」

続けてアーノルドがそう聞いた。

「あのね、理由は秘密なのだけど、ケントと一緒に、ヴァートのところにいった帰り道なのよ」

と、ケイティが答えた。

「秘密？　それにヴァート、って？」

そう尋ねるアーノルドに、「秘密」（僕が池に飛び込んで風邪をひいたこと）についてはふれず、ケイティは言った。

「ヴァートはね。ケントの主治医なの」

「お医者さん？　ＶＥＴ？　…ああそうか」

アーノルドがヴァートのフルネームを思いついて得心した。ここで言うかなあ。ヴァートは、彼の職業名を略したところからくる彼の愛称なんだよ。

「それで、お話、って？」

そうケイティが尋ねた。

「ん？」

「さっき、車を呼び止めてくれたときに言ってた…」

本当を言うと、アーノルドやステラが僕たちを呼び止めたんじゃない。僕がステラを見つけて、その合図で、ケイティもアーノルドに気づいて車を寄せたのである。ケイティにかかってしまうと、実際は僕が見つけて止まれと言ったものが、いつの間にかユーマンのアーノルドがユーマンのケイティを見つけて呼び止めたことになっているのである。しかし、アーノルドはそんなことをちっとも気にしていなかった。

…または、アーノルドたちから声がかかったことにしてほしいというケイティの気持ちを汲んで、そうなりきってくれている。事実と異なること。すなわち、僕がステラに声をかけたのではなく、街を歩くユーマンの青年が車で通りかかったすてきなドライバーの女の子に声をかけたのだと擬態することを、アーノルドは、ケイティの気持ちをおもんぱかって受け入れた。そうして、その事実をもちろんよく知っているケイティというユーマンの女の子に対して、ユーマンの青年アーノルドは好印象を与えたのである。事実、ケイティの心に、明確ではないかもしれないのだが、「アーノルド、ありがとう」という気持ちが追加されたにちがいないのだ。ほんと。ユーマンって、僕たち以上にややこしいところがある。

そんな感想を胸に浮かべながら、それぞれのカップを間に置いて、お互い目と鼻の先にステラと顔を突き合わせた格好を僕は楽しんだ。ただ、ステラは少し伏し目がちだ。その睫毛はとても愛らしい。

ステラが言った。

「あらためてだけど、この間、池でのこと。ありがとうね、ケント」

「なんでもないさ」

僕は答えた。

「ケントは、あたしがひと声、悲鳴のように叫んだら、すごいスピードで駆けてきてくれた。そして様子を見るや、すぐに必要と判断して飛び込んでくれた…。冷たかったでしょう？　まだ泳ぐ季節ではないもの。あのあと、何ともなかったの？」

「僕の身体が、かい？」

そう聞いた僕にステラがうなずく。

「何ともないよ。もちろん…」

そう言いきる僕の大腿部を、ケイティが、ちょんちょんと小突いたような気配があった。たしなめるなよ、ケイティ。僕が池に飛び込んで親子を助けたことは、間違いなく偉かったじゃないか。きのうまで風邪で伏せっていたなんて、それだけは秘密なんだからな。

言外の気持ちが伝わったのか、ケイティが僕の背をなでようとしてくれる。なでられるのは嫌いじゃないんだけど、いまはいらない。ステラという、とびっきりのレディーの前なんだから。

「それで、何かさっきアーノルドが話がある、って…？」

僕が何げない気取りを装って、ステラに水を向けた。

「あ、そのことね」

ステラが僕に少し説明してくれた。

「あの、この間、あなたが助けてくれた母と子の二人。お母さんはののかっていうのよ」

「うん。それはあのとき、ご本人が言ってたよ」

僕はステラの顔を見つめている。ステラは伏し目がちだが、ときどき瞳を上げて僕の目を見つめてくれながら話を続けた。

「お子さんの名前は、ジークフリート…」

「ドイツ系の名前なんだね」

「そうなのよ。それで、ののかの夫、つまり、ジークフリートのお父さん、ね、お父さんの名前は、ヴォルフガング」

「覚えきれないかも」

池で溺れた母子のユーマンであるリヒャルトからお礼の果物が届いた。ののかの夫で、いまは海外にいるらしいヴォルフガングの名も添えられていた。

「すぐに覚えられるわ。ケントは頭いいから」

ステラが言う。僕は慌てて問い返した。

「えっ⁉ どうしてそんなことが言えるんだい? きみと僕とは一度も同じ学校にいたこともないじゃないか」

ステラが言いきった。

「ケント。あなたは頭いいのよ。状況を見て瞬時に適切な判断をした。あたしだって迷っていたわ。何をすればいいの、って。声を上げることだけしかできなかった」

「きみが声を上げたことは、結果としてとても正しかったよね。それを聞かなければ僕は駆けていかなかった。僕が急がなかったら、二人は溺れたかもしれなかったんだもの。それに、きみのユーマンのアーノルドも、しっかり働いていたよ。差し伸べる枝木を探してたのかな」

「それはユーマノイドがすることだから当たり前のことだわ。それよりもあなたは、直接に助けてくれた。瞬時の判断があったから。あのあと消防車がきたときに、大丈夫だから、と言って帰してしまったけど、どうして、あなたを命の恩人として表彰してくれるようにはからわなかったんだろう、って後悔したわ」

「命の恩人？　そんなおおげさな…」

自分の口からは否定しながら、表彰されたとしても、どうしてもいやだ、ってわけじゃない。しかし、いまさら新聞社なりへ、いついつこんな水難事件があったんですけど、そのとき溺れている母子を助けた者があったのです、僕なんですけど…、なんて言えたものじゃない。むしろ、そんなことで祭り上げられることを避ける言動をとることによって、ステラとケイティからさらに深い（かもしれない）尊崇の念を受けたにちがいない、と思い込むことにした。だから悪い気分じゃない。

そのときステラが、ぽつりと言った。

「あの日にね、ヴォルフガングの中東行きが決まったのよ」

そう言うステラの声に、僕は大声を上げた。

「ええっ!?　何だって!?」

それを聞いた僕のユーマンのケイティが僕の目を見る。僕は静かな店内で突然上げた自分の声を恥じた。その声は、「やっぱりな、それだよ。その話があったんだね」という気持ちを含んでいた。「何だって」と、僕は口にはしたが、内心では前回、ヴァートのところからの帰り道で、ケイティが思い詰めていたことを思い出してもいた。つまり、「思い当たることもあって」僕は大声になっちゃったんだ。

「驚くでしょう？　あのあとで、あたしはののかと、アーノルドはユーマン同士リヒャルトと、何度かお話ししたわ」

ステラがそう言った。

「うん。驚いた。中東行きっていうのは、わが国がＳＤＦ（自己防衛戦力）の活動として、ＭＦ（多国籍軍 Multinational Force）の後方支援をするっていうこと？　ヴォルフガングはＳＤＦの人員に登録されているの？」

「ええ、難しいことはわからないけれど、戦闘がおこなわれている地域に彼はいかなければならなくなったのですって」

「それって、どんな理屈なんだろう。わが国は戦争を放棄することを百年以上前に基本法で決めたのだから、そもそも戦闘や紛争解決のための武力行使は、簡単にはできないはず」

「ねえ、そうよね。あたしたちの国は平和な国家として、もう百年以上も誰一人外国の人の命も奪ってはいないのよね。あたしも海外に友達がいるけど、みんなからうらやましがられているわ」

「もう一つ、もし武力を行使することに従事するということがあるのだったら、それは僕たちじゃなくて、ユーマンの仕事だろう？　実際に武力を行使することはこれまでにおこなわれてこなかったことだと思うけど、そもそものユーマノイドと僕たちの関係を考えても、いまきみが言ったように、ヴォルフガングが、ユーマンに交じって戦地にいかなければならない、なんて考えられないよ」

「恐ろしいのはね、ユーマンが武器を持つことももちろん怖いことだけど、ユーマン同士の戦闘に交じって、あたしたちも人殺しをしなければならなくなる、そんなことが始まろうとしてる、ってことよね」

「それは、いけないなあ。もちろんユーマンが外国での戦争に、人殺しのために出かけるのもいけない。しかもそれがユーマンの間だけで終わらない、なんて…。なぜなんだ」

そう問いかけるような口調で話した僕に、ステラが答えた。

「ヴォルフガング、ってね。とても優秀な人なのよ。外国語もとても達者で、多国籍のユーマンの間で縦横に意思疎通することに長けてるのですって。数的処理能力や物理・化学の力も評判だそうなのよ」

「それで彼は、志願したのかい？」

いま聞いた彼の能力に圧倒される気持ちながらそう聞く僕に、ステラは力なくうなだれて答えた。

「いいえ。志願はしていないわ。妻ののかさんもあって、子どものジークフリートもいるのに、わざわざ戦争にいくなんて考えられる？」

「考えられないなあ…」

僕は自分の胸に、ずしんと重い物を感じながら返事した。

ケイティは、と目をやると、ステラのアーノルドと、ユーマン同士、高速の会話でたくさんの情報を交換しているようだ。ケイティは目に涙さえたたえている（ユーマノイドも泣くのだ）。

母、ののかと、子、ジークフリートのユーマンであるリヒャルトは、ヴォルフガングも一緒に暮らす間は、三人に奉仕していたそうだ。ヴォルフガングが言語（とくに外国語のヒヤリング）や理学・工学を学んでいくうえで、ほかのユーマンではまねできないほど、リヒャルトは献身した。ヴォルフガングがさまざまな軍事的訓練の機会を生かし、特別な研修や学校に入るときも身を粉にして働いた。そのユーマンであるリヒャルトは残されるが、優秀なヴォルフガングは戦地に送られる。その情報が入ったあの日、母親ののかが目を離したすきに子どものジークフリートが池に落ちたのだった。

ケイティは、ときどき僕のほうを見る。ヴォルフガングが知的能力に優れていることは選抜されたうえでとても大切な要素なのだが、もう一つ、彼にはトレーニングされた屈強な体つき、という、僕にもぴったり当てはまる特徴があったのだ。

4　愛宕山へ駆け登れ

その朝は、また、ケイティと僕はよく気が合うものだと思い直した。散歩に出ようとしたケイティが、玄関ドアの内側にかかっているフリスビーを取り上げたからだ。

そうそう。今日はそうしたかったんだよ、ケイティ。

桃畑の南東には、増築の準備のためか、通りを隔てて空き地が広がっている。ここ、ここ。今日はここで試そうぜ、僕たちの相性を？

「ケント、いい？」

ケイティが念を押すようにぼくに言った。

「さあ、投げて」

僕は、叫ぶと同時に走りだす。その先に向かって、ケイティがフリスビーを投げる。フリスビーが僕の頭を追い越していく。ここが！　僕の脚の見せどころだ。全速力を上げて走る僕。

「ケント〜！　いいよ、いいよ〜。取れる、取れる」

ケイティが後ろから僕に声をかけてくる。強い期待を感じる。僕は猛烈にダッシュする。フリスビーの速度が弱まる。僕はその落下地点を予測して、ジャンプする。

「ケント！　ナイスキャッチ！」

僕はフリスビーを見事にキャッチした。

これは、ケイティやアーノルドたちユーマンにもできるだろうか。まったくできないわけではない。お互いに向かい合ったユーマン同士が、その相手がいる場所をめざしてうまく投げることができたときには、彼らはキャッチすることができる…場合がある。そこは、ユーマン同士の間で、うまいへたの優劣がある。彼らの間には、さまざまな体力差もあれば、運動神経の違いもあるからだ。

それを言うなら、僕たちの間でも、うまいへたは、ある。自分で言うのもおこがましいことだけど、僕はうまいほうだと思う。

もっとも、ケイティがとんでもない方向へ投げるときは、キャッチできないことも起こる。たいていはケイティが謝る。

「ケント、ごめんごめん。あんまりだったね」

のような具合だ。

それでも、その「あんまり」な方向に投擲されたフリスビーを、奇跡的につかむことができたときは、僕もすごく興奮してうれしくなる。


え？　ユーマンに遊ばれてるんじゃないのか、って？　ああ、そうだね。ユーマンも遊んでると思う。くしくも僕がキャッチした、というような場合には、僕もケイティもそろってうれしくて、おおはしゃぎだ。

ふたりがともに、遊び心をもって挑んでいるゲームであることには間違いがない、と思うよ。


そして次の朝、僕は、ケイティとの約束に身を震わせるほど期待していた。その約束とは、その日の散歩で、二人して愛宕山へ「駆け登ろう」という計画だった。

ケイティも歩くのは好きだし、ジョギングも「趣味」にしている。一緒に暮らしている僕が散歩が好きであることに加えて、ややハードなロングランも好んでいることは、ユーマンのケイティもよく理解してくれている。この日、月曜日は、自宅から七キロ先にある登山口へも、またそこから山頂九百二十四メートルまでの三・五キロをも、すべて駆けて登り、また駆け下ってこよう、という計画だ。ケイティも健脚で、もちろん僕の普通のスピードについてくる力はないのだが、僕が少しペースを緩めれば、平地で時速七キロは堅い。すると往路は一時間で登り口まで、そこから山頂までが二時間。復路は下山に八十分、そこから家までが一時間。したがって往復は五時間半ばかり。帰宅途上、どこかで昼食、という算段とした。出発は、朝食後の午前七時である。

「ケント、置いてっちゃいやよ」

ケイティは、やる気満々のジョギングスタイルだ。ピンクのショートパンツの下に黒のロングタイツ。クロスブラを付けたうえに紺色のTシャツ。山頂の涼しさに備えてウインドブレーカーを羽織っている。ランニングシューズは踵が黒につま先側が黄色で靴底は白。鍔付きの帽子をかぶって、ポニーテールの髪を後頭部にくるアジャスターの間から後ろに垂らした。そしてサングラスを帽子の上にかけている。サングラスのテンプル（腕）の先には、紛失防止用の紐をクラブヒッチ（巻き結び）してうなじに垂らしている。

「さあ、どうだかなー」

置いてかないで、という要求に対してそう答える僕に、ケイティは重ねて言った。

「道は間違えるはずがないから、見えないところまで先にいってくれててもいいのだけど、ときどきはあたしを待ってね」

「いいよ」

そう答えて、僕たちは家をあとにした。

そうして、国道下の隧道をくぐると、僕たちの前を、ステラとそのユーマンのアーノルドが連れ立って散歩している背が見えた。脇は以前に僕が飛び込んで親子を助けた池だ。

「おはよう、アーノルド、ステラ」

ケイティが言った。

「おはよう、ケイティ、ケント」

ステラのユーマン、アーノルドがそう答えた。

「けさは駆けてるのね、ケント」

ステラが言う。

「うん。愛宕山へ駆け登ってくるよ」

そう僕が答えると、アーノルドが驚いた声でケイティを励ました。

「えーっ!?　愛宕山?　それも山頂まで?」

「そうなの。いってきまーす」

ケイティは元気にそう言った。その顔が誇らしげだ。

はじめは横の通り、丸太町通りを西に向かって走る。踏切を越え、さらに西に進んでから、国道方面を指す標識に沿って交差点を北へ上ガッテいく。すると広沢の池の南東角に出る。左手前が児童公園。その角を左折してまた西に進路をとる。

はじめはケイティを前に立てて走り始めたのだが、どうしても速度が遅くなりがちだ。そのたびに注意を与え、その叱咤で彼女のペースを戻してきてはいた。しかし、池を右手にして見晴らしもよくなったころには、しっかりと駆けてみたい気持ちが僕のほうには湧いてきている。

「ケイティ?」

僕が走りながら尋ねた。

「フッフッ、ハッハッ、なあに、ケント?」

やや粗い息の下でケイティが問い返す。前方を向いたままだから、僕からはその表情は見えない。

そんなには疲れてもいないだろう。ケイティの腿(あし)はよく上がっている。肘を十分にまげて、腕も振っているし、胸も必要なだけはそらしているから、ジョギングのポーズとしてはよくできている。吸気・呼気が二回ずつ規則的におこなわれているから、有酸素運動としてもいい効果が得られるだろう。ケイティは、シェイプアップのためにも普段から運動する必要があるが、きょうのジョギングは十分に目的を果たしていると見て取れる。僕は言った。

「あのね」

「フッフッ、ハッハッ、うん?」

「きみはあとからついてきてくれたらいいから、僕は少し自分のペースで走っていいかな、どう?」

「フッフッ、ハッハッ、あ、ごめんなさい。いいわよ。あたしもこの道だったら、迷わないから」

「オーケー。じゃ、この先、お地蔵さんの手前で広沢の池の端に沿って北へ入ってね」

「フッフッ、ハッハッ、うん、わかった」

「その道沿いに進めば、清滝へのバス道に出るから、そのあたりで待つことにするよ」

「フッフッ、ハッハッ、いいわよ。いってちょうだい」

「うん、嵯峨野の眺めはいいから、僕が駆けていくところがケイティからも見えると思う」

無言でうなずくケイティを追い越して、僕は前へ出た。

広沢の池に沿っている きぬかけの道を池沿いの歩道側に渡ったから、ここからは激しい車の通りを横切ることはない。清滝は愛宕山の登山口の一つだが、そこに向かう清滝とこれから僕らが進む道との交差点までは、農道兼散策路だ。すぐ近くの高校陸上部の生徒が、校内のグラウンドを出てこの道でタイムを計ったりすることもある。

僕は速度を上げた。と言っても長距離を走るときの僕の速度だ。もちろん、どんなに速いユーマンも僕に追い付くことはできない。彼らは自転車または動力付きの乗り物を使わなければ、僕らに追い付いてくることはできないのだ。僕は風を切って走る。これが大好きだ。どこまでも駆けていける、そんな気持ちになる。自分で走ることの次に好きなことは、車に乗ることだ。窓を開けて風を受けるのは最高だ。

そう言えば、地方をケイティと旅行した際に、サイドカーを利用しているところを見たことがある。ユーマンにオートバイを運転させて、自分はサイドカーに乗り込み、正面からの風を切って走っていくのである。さぞや痛快だろう、と思う。だが、やっぱり自分の足で走ることほどうれしいことはない。普段から身体づくりに注意していることもその気持ちを強くしているかもしれない。速いかどうかだけを論じるのなら、車に乗っているほうが速いのである。リニアモーターカーのほうが速いに決まっているのだ。ジェットはより速い。宇宙にいくロケットはもっと速い。ただそれらは、自分以外の「動力」を用いた移動手段にすぎない。自分の力で移動することにこそ喜ばしい意味がある。頼もしいやりがいがある。僕は走るとき、そう実感する。

地面を蹴って進む駆け足は、自信のようなものを与えてくれる。充実だ。最近、全力で走ったきっかけは、あのステラの叫び声だった。親子が池で溺れている。あのときは、一二〇パーセントの力で走った。きょうは七〇から八〇パーセントの力でいいのである。あのときはステラが見てくれていた、そのステラに向かって走った。残念だが、きょうはいない。でも、ケイティが僕の後ろ姿を見てくれている。そう思うと、蹴り出す足に力がこもる。

タタタッ、タタタッ、タタタッ…。

僕は広沢の池の南西部、地蔵尊の角を北西方向に登っていった。普段は観光する人たちがいる農道である。ユーマンだけの観光客もいる。とくにユーマンだけの観光者は、僕がかなりの勢いで駆けていくのを振り返る。注目を浴びている。どう思われているだろう。競技会の練習か。とてもいい体格で、自分で言うのも何なんだけど、均整がとれた、その走る姿は「美しい」フォームのはずだ。見とれるユーマンもいる。悪い気はしない。

そうこうするうちに、清滝道との交差点にきた。僕は迷わずに折り返す。ケイティのところに戻るのだ。ランニングのチャンスは無駄にしたくない。

ケイティは思いのほかスローペースだった。僕はケイティと別れてからの道の、ほぼ半分の地点まで戻って、ようやくまた合流することができた。別れてからの速度は、僕のほうがユーマンのケイティよりも三倍速かったことになる。もちろん、ユーマンと僕らとの違いもあるのだが、自分で言うのもおこがましいながら、僕の体軀と脚力が周囲と比べても格段に秀でているところにも原因はあっただろう。待て、自己陶酔している場合ではない。

僕とケイティは、いちばん遅い者の最大の速度で目的地をめざした。この表現は、『火星の大元帥カーター』などで、エドガー・ライス・バローズがよく使ったものだ。ちなみに『ジャングルの王者ターザン』もバローズの作品だ。僕は冒険小説の古典が好きだ。…またはずれてるぞ、ケント。

話を元に戻そう。

　僕とケイティは清滝道をたどって、化野念仏寺を過ぎ、かつての嵐山電鉄のための隧道に入った。このトンネルを抜けるとそこが本格的な登山口で、僕たちのきょうの中心目的、愛宕山駆け足登山が始められるのである。このトンネルには、灯火が天井に飛び飛びに備え付けられているが、暗い。また肌寒い。もし車両がきたら、石壁に身を寄せて通過を待たなければならない。しかし、僕たちは車にも出会わずトンネルを抜けることができた。

　そのときだ、ケイティが叫んだのは。

「ケント、見て！」

　その声に、僕は反応した。

「何を見ろ、って？」

「バスよ！　ほら、運転手さんか、車掌さんが、手を振っているわ」

　見ると、前方のバス操車場に備えられた停留所で、交通機関の会社ユニフォームに身を包んだユーマンが一人、周りに手を振って拡声器を持って叫んでいる。

「間もなく発車いたします。ご乗車のお客さまはお急ぎください」

「間に合わないわ。待ってー！」

　ケイティが叫ぶが、その声は届かない。バスのエンジンがかかって乗車口の扉が閉じた。

「ケイティ？」

　僕が水を向けた。

「え？」

「乗るの？」

と僕。

「乗るのよ」

とケイティ。

「ケイティ、わかった」

そう言い残すと、僕は自慢の俊足脚力で、五十メートルばかりを疾走した。そして、動こうとするバスの前に立ちはだかった。

それに気づいた運転手が、昇降口のドアを開けて僕に聞いた。

「乗りますか？」

僕は笑顔でうなずいて、ケイティの到着を待った。

「ごめんなさーい。あー、ちょうどよかった。間に合ったわ」

ケイティが言う。

「うん」

僕もうなずいて、ケイティを先にしてバスに乗り込んだ。

トンネル前に交通信号がある。狭いトンネルのなかで車両が擦れ違うのは無理だ。工事中の片側通行のように、トンネルの片方の入り口では、他方からの車両が通過しきるのを待つ方式だ。信号が変わるのを待って、席に陣取った僕たちを乗せ、街に向かうバスは発車した。

「…ギリギリ、セーフ。間に合ったわねえ」

窓外をトンネルの壁が後方に飛んでいく。バスはかなりの速度で狭い隧道を走った。前方の出口の光がバスを導いている。

「よかったわ。時間を調べてなかったもの。本当に、幸運だったわね」

そう言うケイティに、僕は尋ねた。

「あのね、ケイティ。よかったら教えてほしいのだけど、きょうは愛宕山の山頂まで駆け登ってくる計画じゃなかったっけ」

一瞬の間を置いて、ケイティが叫び声を上げたものだから、運転手のユーマンが振り返ったほどだった。

「あーっ!!」

ケイティは続けた。

「そうよ。なんてあたしはばかなの。発車間際のバスがちょうど待ってくれてる、と思ったら、「乗り込まなきゃ！」と、ほかのことがみんな吹き飛んでしまってたわ」

僕が半分白い目をしてケイティを見る。

「ご、ごめんなさい、ケント…」

「どうする？　化野念仏寺か嵐山かで下車して、また走るかい？」

少し考えてから、ケイティは返事した。

「ごめんなさい。ケント。意気消沈よ。それに、あたしとしては十分に走ったし、頂上へはまた次の機会にしましょうよ…」

そういうケイティを僕は許した。

ユーマンにも間違いはある。実は、往々にしてある。もちろん僕にだってあるのだが。もしかするとケイティはかなりおっちょこちょいかもしれない。だからといって僕がケイティを好きなことには微塵も陰りはない。

バスは僕らを乗せて街に向かって走っていく。

いや、この日の出来事には、もうひとつ付け加えなければならない。

僕たちはバスを降りてレストランを訪ねた。稲田屋という、先の大戦（ここでは応仁の乱ではなく、太平洋戦争）で一度焼失し、焼け跡の掘っ立て小屋から出発した「由緒ある」店である。この稲田屋は、地元に長く住む人で少しでも関心がある人ならばほとんど誰もが知っている、言わば「知る人ぞ知る」名店なのである。通常は店舗の外へ待ち客の列ができる。しかしこの日、愛宕山の「ふもとまでは到着したが駆け登ることを回避した」僕たちは「早い時間に来店」したので、その店外行列に加わっての待機の難は避けることができたのだった。

「並んでないわ」

ケイティが言うので、僕は返事をした。

「うん」

「よかったわね」

ケイティが喜びの言葉を口にする。

「うん。登らなくて結果オーライだったね」

僕がクスリと笑いながら付け加えると、ケイティの頬は、自分の失敗を思い出したからか、真っ赤に染まってしまった。

食堂に入ると、六人がけのテーブルが五机ならび、壁には数十年も前になくなった「一級酒、二級酒」という日本酒の等級を、太い墨筆で書き付けた赤地の色紙が掲示されている。奥のほうに厨房が見渡せ、やせ形の親父が、出入り口近くの、かつてはテイクアウト用の受け渡し窓をしつらえていただろう屋外との仕切り壁に向かって立っている。彼は、大鍋の煮込みを、巨大な玉杓子を使って攪拌していた。

僕が注文したいのは肉丼と関東煮である。正確には肉丼は大盛りだ。また、この店でいう関東煮は、いわゆるおでんを指しているのではなく、テッチャンなどのホルモンの串刺しを醤油、味噌、みりんなど独自の味付けスープで煮込んだもののことをいう。

次々と客が押し寄せるため、注文者は、独自の努力で給仕たちの注意を引き付けなければならない。また、注文に際しては、求めるメニューを順序よく一気に言い下さなければならない。僕の意向はケイティにはよく伝わっている。ケイティは、注文の態勢に入った。ケイティが食べたいのは肉うどんである。関東煮のほうは、「一人あたり」三本、（きっとその多くは僕が食べてしまうのだが）合計六本を頼もうとしていた。

いざ注文しようと、複数の給仕たちのなかでも、このテーブルの近くにいるユーマンを見極めながら、口中でセリフを繰り返すケイティ。その右手には、貼り紙が定めている「「関東煮」は一人三本」の「サインは三」（サインはVではない）を示す人さし指、中指、薬指が立てられていた。

「ご注文は何にしましょう？」

ようやく給仕の一人が僕らのテーブルに回ってきた。ここは、注文メニューを間違えず順序よく、しかも一気に言い下さなければならない瞬間だ！　ケイティは一気に言い放った。

「肉丼大盛りと普通の肉うどんを一杯ずつ。それに関東煮を六本お願いね」

決まった！　肉丼の大盛りをケントに、肉うどんをあたしに、そして二人して関東煮を合計六本、言えたわ。この慌ただしい店の雰囲気のなかで、数少ないオーダーのチャンスを有効に使いきって。あたし、完璧？　そういう表情を僕に向けようとするケイティに、給仕が不思議そうな顔をして尋ねた。

「六本でいいんですか？」

給仕を務める女性ユーマンの視線を点、点、点、と追っていくケイティの目は、自分の右手がしっかりと三本指を立てていることを発見した。慌てたケイティは、左手のひらを右の手に重ね、緊張のあまり立ち続けようとする指を無理に閉じて返事した。

「いいの。六本です」

ケイティの声は平静だ。

「はい。六本ですね」

オーダーを聞き取った給仕は、破顔して片目をつぶりながら叫んだ。

「肉丼大盛り一丁！　肉うどん一丁！　関東煮六本は小皿二枚に三本ずつ！」

僕と目を合わせるケイティは、またその頬を真っ赤に染めていた。


いずれにしてもこうして、「朝、身を震わせて立てた」計画は終わりの段階に入った。オーダーしたメニューが到着して僕は気づいた。僕たちのほう、いや、とくに僕を見つめている先客の年長者が向かい側の席にいたことに。彼は、関東煮に舌鼓を打ちながら僕に話しかけてきた。

「若いの。この店をよく知っているな。わしはもう長くはない。なので、死ぬ前にひと言だけ言わせてくれないか」

…けれど、衝撃的なこの年長者の話をする前に、もう一人、ケイティの友達のことを話さなきゃならない。

5　ペットショップへいかないで

ユーマンだけではないが、話題に上がる人間でない何かの生き物に人格をもたせたいとき、その相手が猫であっても小鳥であっても、つまり動物である場合（さすがに植物魚類までは及ばず、動物の範囲までに限られていると思うのだけど）、その対象を「あの人」などと擬人化する人がいる。動物好きの女性に多いのだろうか。いや、男女を問わずだ。また、聞くところによると、無機物に対してさえ「あの子」とかの「代名詞」を使う人がいるらしい。

ケイティの友人のユーマンに、ヤスミーンという個体があった。ケイティはヤスミーンとよく電話で会話している。気ままに計画を立てて昼食を交互の家で一緒にしたり、または街に繰り出して取ることにすることもままある。僕もそれに付き合うことがあるが、たいていケイティからは事後承諾だ。僕もヤスミーンが好きだ。だから、「ヤスミーンに会うことに決めたのよ」は、ケイティの勝手であっても、僕自身にそれを阻みたい気持ちは起こりにくいものなのだ。

この日、僕はケイティに連れられて、ユーマンのヤスミーンの家を車で訪問した。より正確に言えば、ケイティがヤスミーンと相談して、ヤスミーンの家でランチしようという計画を立てたところへ、僕がケイティに同伴したのだった。ケイティと訪問したヤスミーンのフラットでのことだが……。

ヤスミーンのフラットの特徴は、広大な居住空間・面積をもつこともあるが、それ以上に、猫が十四以上も同居しているところにある。また、リビングの天井から吊った鳥籠にセキセイインコが二羽。

ヤスミーンはこんなふうにケイティに話しかけた。

「ねえ、ケイティ、この人ったらね、いつもタワーの最上階を独り占めするのよ」

タワーとは猫タワーのことである。といっても、それは猫を材料として組み立てた塔という意味ではない。猫が自分の場所を決めて座り込むことができるように、底辺から頂上まで、いくつもの座席あるいは座敷を備えた、屋内ペット用の移動式構造物なのである。

「まあ、それは困ったわねえ。ほかにも仲間の人（猫）たちがいるのにねえ。なかには自分もタワーのトップに座りたいと思う人だってあるでしょうに」

ケイティが応じた。

「そうなのよ。この子、ヴァルキリー・キーコ。きたばかりなのに態度がでかいんだから」

そう言うヤスミーンに、ケイティが返した。

「ヴァルキリー・キーコ？　ふーん。ワルキューレ・キコウじゃないんだ」

「こっちのムーサはね…」

ケイティのジャブに取り合わず、ヤスミーンは揺り籠に乗せている子猫を示した。

「わあ、かわいい。ムーサ。黒色子猫ね」

僕の頭のなかには「クロイロ・コネコネ」という音が残った。

「そう、黒色子猫のムーサ」

ヤスミーンが言った。

「この子はね、SNSで知って、先週もらい受けてきたのよ」

「そうなの。ヤスミーン、偉いわね」

ヤスミーンは、そう答えるケイティの顔色を、少しうかがっているように僕には映る。あなたはもらい受けてくれるつもりはないのか、と。

「あたしの手のひらに乗るほどなのだけど、きょう、体重を計ったら三百五十グラムあったの。きた日には衰弱しきっていたのにね。でも、もう大丈夫」

「ミルクもよく飲むの？」

ケイティが尋ねた。

「ええ、とってもよく飲むわ」

「ほかの先住民たち…」

ケイティは、これまでにヤスミーンが飼ってきている猫たちのことを指して言っている。

「…からの、「へんねし」はない？」

へんねし、というのはこの地方の言葉で、およそジェラシーのような意味を表す。

「それがね、みんなよくしてあげてくれるのよ、この子に」

「そうなの！　それは何よりだわ」

ケイティが安堵するため息をついた。

「こんなにムーサはかわいいんだもの。ね」

ケイティの言葉を聞いてヤスミーンが自慢げに言った。

「そうよ」

「いつもトップのヴァルキリー・キーコも、ニューカマーのムーサに嫉妬しないのかしら」

「そうなのよ。そこがね、うまくしたもので、ヴァルキリー・キーコはたいていタワーの頂上席を占めてる。それだけで十分に悦に入っているようなのよ」

「ふーん。そうなんだねー」

ケイティがそうつぶやいて続けた。

「ヤスミーン。この子たちの性格がいいのは、あなたの、みんなへのいたわり方がいいから、だわ」

「えっ？　ケイティ、そんなふうに言ってくれてありがとう。うれしいわ」

ヤスミーンは喜んだ声だ。ケイティが言った。

「こんなに猫たちに尽くしてくれてるのだもの。えらいわよ」

そのケイティの言葉が急所を刺したのか、ヤスミーンは、涙を拭くためにハンカチを取り出した。

僕は、といえば、なにをまだるっこしい褒め合いっこしてんだよ、もっと生産性があることを話し合えよ、そんな顔つきで二人を交互に見比べていた。

そのとき、ヤスミーンがケイティをテーブルに誘った。そこには、クッキーと紅茶が用意してある。ランチしにきたんじゃなかったのかい、ケイティ。まだ早いってのかい。僕はそんな目を向けながら、ヤスミーンの誘いに乗ってクッキーの匂いに引かれていった。

「さ、ケント、こっちへきてちょうだい。ほら、ここ、あなたの席よ」

ヤスミーンが用意してくれた僕の席に陣取って、僕は二人の様子を眺めていた。

「ね、ケイティ。これを見てちょうだい」

ヤスミーンはそう言って、壁にかかったモニターにSNSの画像を映した。ヤスミーンが手元の端末を操作して、スクリーン上にあらわれる、静止画像や動画をスキップしていく。

「これよ」

ヤスミーンが言った。

その画面には、一面の壁に直方体の独立したケージ（檻）が何十、百何十と縦横に積み重ねられ、それぞれのケージには、狭いなかで身動きもままならない痩せ細った猫たちが、うつろな目であらぬほうを、またはなかにはカメラのほうを見つめていた。

「これは…！」

ケイティが息をのんで続けた。

「…ひどいわ」

ユーマンも憤るのである。僕が見ても、その画面の光景は楽しいものではなかった。どの猫も、やせ細り、見る影もなくさらばえている。

「これは、何なの？」

ケイティが尋ねた。

画面が変わった。草地の地面に、何とか自力で立っている一匹の猫。よろめいている。

「これはね、コラットという種類で、とても高級な猫なのよ」

ヤスミーンがそう答えた。

「コラットだったら知ってるわ。タイからきた猫よね。でも違う。もっとしっかりして、丸みがあって、明るい銀色の入ったような青色でなくっちゃ。皮膚病かな。こんなに肌がむき出しになって、やせ細って…これが…」

「そう、コラットの雌猫なのよ」

「ひどいわ…」

ケイティが絶句する。

「どうしてこんなことに…」

「この雌猫も、さっきの、ケージの山に押し込められていた猫たちも、血統のいい仔猫を産むのが仕事なの。無理やり妊娠させられて、あの檻のなかで過ごすの。あの檻のなかで水と餌を与えられて仔猫を出産するとまたすぐに妊娠させられて、また出産するとまたすぐに妊娠させられるの。そして、妊娠・出産するにはもう老いすぎてしまった猫は、ここに映っているコラットのように役目を終わらせられるのよ」

ヤスミーンがそう言った。

画面、ケージのなかの母猫と仔猫がアップになった。糞尿まみれで毛羽立った肌の母猫が、一生懸命に仔猫をなめてきれいに繕おうとしている。仔猫が母の舌に揺すられながら満足そうに目をつぶっている。それを見たケイティの目に大粒の涙が浮かんだ。その仔猫はいまにも取り上げられるのだ。

「そして、母猫は役目を終えたらどうなるの？」

「もう、餌ももらえない。放置されて餓死するならまだ、まし。即座にもらい手がついたときにだけは生きながらえるけれど、そんなことをする人はめったにいないわ」

「ちょっと待ってちょうだい」

ケイティが、ヤスミーンの話に割り込んで尋ねた。

「親猫に対してそれもひどいけど、次々に生まれてきた仔猫たちはどうなるの？」

「生体を売るペットショップにいくのよ」

「まあ、それなら仔猫は安心なのね」

とケイティが言った。

「ああ、ケイティ、…違うのよ」

「何が違うの？」

そう尋ねるケイティにヤスミーンが言った。

「生体を売るペットショップにいった仔猫のなかで、老衰するまで幸せな一生を送れる猫はほんの一部なのよ」

「だって、買い手が現れたら、その人が飼い主となって、猫たちは幸せになれるじゃないの」

「ケイティ。生体を売るペットショップに飾られている猫たちは、みんなが売れるんじゃないわ。少なくない猫が売れ残るの。血統書付きの猫の値段は本当に高いんだから。一匹を手に入れるのに、ガソリンに換算したら、二トンも買えるほどの費用がいるのよ」

それを聞いて、ケイティは黙り込んだ。

「そして…」

しゃべりかけるヤスミーンに向かってケイティが重ねた。

「そして？」

「売れ残る仔猫もあれば、売れ具合、さばけ具合によっては、ショーウインドーに並ぶことさえできない大量の仔猫が生まれるわ」

そう言うヤスミーンが映し出したモニターには、ポリバケツの蓋を取り、バケツのなかに放り込まれて口を結ばれていたビニール袋から数匹の仔猫を取り出すユーマンの姿があった。画面のなかのユーマンが言う。

「危ない、危ない。窒息死するところだった」

画面には、まだ目も開いていない仔猫たちが声を上げている。

「これは、ひどいわ」

ケイティが声を漏らした。

「そうでしょう。こんなことをしている人たちがいるのよ。こうして、「仔猫の数を調整」している。ペットショップにとって「キティミル」とかと呼ばれる「猫製造工場」の「怠慢」による猫の「不足」は、猫さえいれば得られる収入の逸失なのよ」

「だから、最も売れるときの需要を賄えるだけの猫を常にそろえている…」

ケイティがつぶやく。

「そう。だから仔猫を過剰に出産させる」

「そして多くの場合には、仔猫は販路に乗る前に「余る」」

「そして、いま見たように殺されていくのよ」

「ひどいわ、この人たち」

またケイティが同じ言葉をつぶやいた。

ユーマン同士の間でも、批判すべき相手に対しては非難の声が上がるのだ。

「いったい、どうすればいいの？」

ケイティが力なくヤスミーンに尋ねた。

「こんなことはやめさせなくちゃいけないわ…」

ヤスミーンも力なくケイティに答えた。

「ほんとう。そのとおりね。あたしにできることは、何かしら。何ができるのかしら。手始めに、あたし一人でも、命を売り買いするペットショップを利用しないこと？」

「そうね。大きな目で見て、生体を販売するペットショップがこんなにもてはやされることがなくなれば、そこへの供給の必要もなくなり、強制的に妊娠させられて、強制的に出産、それを一生の仕事とされて、それができなくなったら殺されてしまう…、そんな悲しい動物を減らしていくことができる。そこにつながっていると、あたしは思うわ」

そうヤスミーンが言った。

「そうなのね。…わかったわ」

そう答えたケイティが、僕の顔をのぞき込む。彼女はユーマンながら、ある種の納得を得たような表情だ。僕はケイティに、何度もうなずいてみせた。

「あのね、ケイティ」

呼びかけるヤスミーンに、ケイティが尋ね返した。

「なあに？　ヤスミーン」

「お昼の前にね。あんな重いもの見せてごめんなさい」

そう言うヤスミーンに、ケイティが首を横に振りながら言った。

「いいえ、大切なことを早く知られてよかった」

ヤスミーンが言った。

「そんなふうに言ってくれてうれしいよ、ケイティ。いまね、罪のない動物の命が危険にさらされているわ。一人でもたくさんの人に、そのことを伝えたいの」

それを聞いて、しんみりとしてうなずいたケイティ。でも、気を取り直したのか、顔を上げると、がんばって、明るい声を作って言った。と、僕にはそう見受けられた。

「大切なものは見せてもらったし、それじゃここで、気を取り直して、楽しいランチにとりかかりましょう?」

ヤスミーンも振り切るように、明るい声を上げて言った。

「そうだそうだー! おいしい食材があるんだぞー。きっとケントも大好きで気に入ってくれるものよー」

それを聞いて頭を上げた僕の顔つきに、いかにもうさんくさそうな感じが表れていないことを僕は祈った。

ランチの用意が始まった。大量のキャベツ千切りと、チキンのソテーがメニューに入っているだろうことだけは、僕にはわかったよ。

エアコンはもともと動いていたのだが、ユーマンたち二人は、気分を切り替えるべく、窓を開け放して空気を入れ替えた。

僕はと言えば、リビングにうつ伏せに寝そべって、猫たちの機嫌をとった。猫は面白い。まったく振り向きもしない猫は放っておいて、かまえばやってくる猫を相手にした。はじめは、あのヤスミーンの片手に乗って三百五十グラムだったムーサを相手に遊んだ。ムーサは僕の背中に乗り、そこを歩いて僕の頭頂も制覇した。その喉からは、ゴロゴロ、ゴロゴロという機嫌のいい声が聞こえてくる。ムーサは転げてはまた僕の背に這い上がる。

僕は楽しくて仕方がない。それが、そんなに楽しそうに見えたのだろうか。あのヴァルキリー・キーコ、現在ヤスミーンの家で猫タワーの頂上を独占しているボス猫が、僕のほうに寄ってきたのである。こいつはさすがに重い。といっても七、八キロやそこらのものだが。

そのとき、僕の頭に陣取っていたムーサが、天井から吊るしてある鳥籠に飛びついた。

「ムーサ、何するの。やんちゃねえ」

笑いながら飼い主のヤスミーンが言った。

ムーサの前足が籠の扉にかかってそれが開いた。同時になかからつがいのセキセイインコが部屋へ飛び出した。さらにひと声さえずると、二羽は開け放っていた窓から屋外へ飛び出していってしまった。

「あっ、インコが！」

ケイティが叫ぶ。ケイティは、インコが逃げ出したことを、つまりヤスミーンの財産が失われたことを指摘したのだ。するとヤスミーンが言った。

「大丈夫よ。この季節だから。あの人たち、きっと近くの山で丈夫に生きていけるから」

ヤスミーンは、所有物を失ったことを悔やんではいない。セキセイインコの命が危ないと考えたケイティを安心させようとしてそう言ったんだなヤスミーンは、と僕は思った。

「それにね…」

とヤスミーンが言った。

「猫たちは、きっとみんなこれからも、ここで暮らすと思う。自信ある、っていったらおこがましいんだけど、それだけのお世話はしてるしね。きっと、ここで喜んでくれてるんじゃないかな、って」

そういうヤスミーンを、ケイティはうなずきながら見ていた。確かに窓は開いているし、ここは二階で、猫ならば伝っていけそうな庇（ひさし）やパティオも続いているのに、いまは出ていこうとする猫はいない。ヤスミーンは続けて言った。

「でも、セキセイインコたちのためにはね。あたしは、満足してもらえることをしてあげられてたとは、とても思えない…」

ケイティも僕も聞き続けている。

「籠に閉じ込められてるのが日常で、ときどきは窓を閉めきって部屋のなかに放ってあげるけど、自由に飛び回りたい気持ちは、とてもこんな狭い場所じゃ満足できないと思う」

それを聞いてケイティが言った。

「そうなんだー」

ヤスミーンは、窓の外を眺めながらケイティに言った。

「だからね、いまから、セキセイインコたち、自由に飛び回りたいだけ、外を飛び回ってくれると、あたしもうれしいわ」

それを聞いて、ケイティも窓の外に映る低山へ目をやって言った。

「そうねえ。ヤスミーンのこのフラットは、双ヶ丘に近いものね。きっとやっていけると、あたしも思うなあ」

するとヤスミーンが言った。

「いま、こうなったから、あたしも気づいたよ。セキセイインコたちが、ほんとうはどうしたかったのか、って」

それを聞いて、ケイティは、うんうん、とうなずいている。それを見ながら、ヤスミーンはまた続けて言った。

「以前から知っていたら、あたしはもっと早く出してあげたはずだし、そう思えば、いまさら悪かったなー、って気持ちになるなあ」

ケイティが言った。

「セキセイインコだって、安くないお買い物だったんでしょう？　ある意味では、もったいないことしたなー、ってあたしは思っちゃう」

ヤスミーンは言った。

「うん。それはそうだ。損とか得とかではないんだけど、もしセキセイインコがここに、何か気に入ってくれてるところがあるんだったら、また帰ってきたいときのために、ときどき窓を開けておくようにしようと思う」

「うん、そうだね…」

二人はまだ、窓から双ヶ丘の緑を眺めていたよ。

6 死ぬ前に言わせてくれ

稲田屋での話に戻ろう。

「若いの、この店をよく知っているな」

その年長者は言った。どうもただならない雰囲気をもっている御仁だ。自然な風体と身なりである。またこの気安さに、逆にただ者ではないことがうかがわれる。漫画で例えるなら、登場と同時に、その背景が大きな「ドーン！」という文字で飾られているシーンだろう。誰だろう、この人は。何の用事があるんだ。

注文した肉丼と関東煮が配膳された。僕は年長者に答えた。

「あははは、はい。この店は、僕のユーマンの、年上の知人からの紹介なんです。その人もさらに年上の知人からこの店のことを聞いて知ったそうです」

僕がそう答えると、目の前のその先達が言った。

「おう。それはいい知り合いがあったもんだ。ところで、わしはもうこの世に長くは住むまい。死ぬ前にひと言だけ言わせてくれないか」

「そんなお年には見えませんよ」

「ありがとう。だが、先が長くないことは自分で知っている。わしはヘルムスマンという。坊や、お主の名前は何という？」

彼が僕に尋ねた。

「僕はケントです。僕のユーマンは、ここにかけてうどんを食べてます。ケイティといいます」

そう僕が言うと、ヘルムスマンと名乗った年長者は、つい、と首を向けてケイティに視線を送った。

「ほう、こちらがお主のユーマンか。なるほどなるほど。意志の通った雰囲気を感じるのう。お主もうれしいじゃろう」

うどんを食べているケイティを見て、そんなことがどうしてわかるんだろう。僕は不思議に思ったが、ケイティが思慮深く意志のはっきりしたユーマンであることについてはこの人の言は合致しているので、僕はこの年長者にとても興味を覚えた。

「はい。ありがとうございます。彼女はおっしゃるとおりなので、そう言ってくださると、僕としてもとてもうれしいですね」

つい、僕は顔がほころんでしまう。

「わしのユーマンは、こちらの男じゃ。ボースンという」

それを聞いてそちらを見ようと頭をもたげると、ヘルムスマンが言った。

「いいのだ。わしが齢を重ねているのと同じように、ボースンもユーマンとしては年長者だ。世辞を言う必要もないぞ」

そうヘルムスマンが言うのを聞いて、僕は関東煮を嚙みながら待った。ヘルムスマンは続けた。

「お主は体つきも整っているが、面構えもいい。その顔には普段から物事をよく考えていることが表れている」

なぜ、そんなことがわかるのだ。僕は、なぜか性格がいいと「曲解」されることが往々にしてある。もっとも、「美しい誤解」はとくに否定しないのが僕だ。

同時に僕は、「よく考える」ということがどういうことであるのかを少し考えてみた。確かに時間をかけて考えることもあるが、圧倒的に多くの場面では、即断が多い。ケイティと話し合っているときには、この普段の即断が僕の弱点かも、と気づくことがある。逆にケイティは、ユーマンとしては、よく考えるほうだ。時折僕はケイティから注意を受ける。「待って、ケント。それはこうしたほうがいいんじゃないの？」みたいに。しかし、過日の母子落水事故のときのように、僕が瞬時に判断して行動したことに対しては、ケイティは事後、いつも支持してくれる。ときに即断の結果「出火」や「延焼」が生じた際に、火消しに回ってくれることもあるのだが。

それにしても、何が「物事をよく考える」にあたるのだろう。

「顔を見るだけで、話さなくてもそんなことがなぜわかるのですか？」

僕が尋ねるとヘルムスマンは答えた。

「わかるのだよ。本当の大人になればな」

ヘルムスマンの「本当の」は、「十分に年をとれば」を意味しているようだ。

「そうなんですか」

僕はけげんな面持ちで返事をした。肯定的な評価を受けているので悪い気はしないのだが。

「お主には、とくに聞いてほしいことがある」

ヘルムスマンは話し始めた。いや、正しくは、僕に向かって尋ね始めた。

「何回か、お主とは話をする機会に恵まれるだろう。きょうはその初回の挨拶だ」

何だか話がおおげさになってきた。それにその「将来また僕たちは会うだろう」という言葉がどうも予言めいている。

そもそも、なぜ僕はこの年長者の訓示を聞くはめに陥ったのか。多くの人は、見も知らない人からの話の聞き手を務めるなどとんでもないと無視するのではないか。だが僕は、そういう場面を面白いと思う。初対面なのに「話を聞いてくれないか」とわざわざ言ってくる。またこの御仁は、僕よりも三倍四倍もの生活と経験を積んできただろうとも見受けられる。もちろん、聞いてみるとたいした話ではないかもしれない。けれど、そうだったとしても、このシチュエーション自身が僕には面白いのだ。

「えっ⁉　僕たちはまた会うことになる…。だったら、それは何よりですね。ただ、今日はこれを食べ終わったら、僕はユーマンを連れて帰らなきゃならない。それまででもいいですか？」

そう僕が聞くと、年長者はなにも動じることもなく返事をした。

「いつ立ち去ってもらってもかまわん。わしとて、わしのユーマンが「帰りたい」そぶりを見せたら、それを考慮しないわけにはいかんのだよ」

「はい」

僕は肉丼に舌鼓を打ちながら聞いていた。

「一つ尋ねるのだが、お主は「神」というものについて、どう考えておる？」

いきなり試されている。しかし、何を返答してもかまわないだろう。この年長者と特別な利害関係が、今後とも生じる機会があるとはとても思えないからだ。ただ、考えを整理するうえでも、と思い、僕は聞き返した。

「いきなり難しいご質問ですね。その問いに対しては、胸を張って答えたい人もいれば、できるだけ知られたくない、と思う人もあるでしょう」

「うむ。いい問い返しだ。では、知られたくない場合、その理由は何だと思うかね」

面白い人だ。僕は、深まっていきそうな話の流れを思い、これには時間がかかりそうだ、と考えた。でも、いま僕は、とくにケイティと話し合いたいことがあるわけではない。彼女とは、帰宅してから、バスに飛び乗ったことと「六本」と叫びながら三本指を立てたこととを話題にして笑い合うことだけが、きょうこれからの楽しみとして残されているにすぎない。時間はある。僕は年長者に答えた。

「二つ思いつきます。一つは、単に自分の思いに干渉されたくない。放っておかれたい。つまりプライバシーに立ち入るな、っていう、ある意味でシャイな考えからですね」

「なるほど。そうだな」

ヘルムスマンは言った。

「しかし、お主は、そういう輩からははずれている。もうここまでわしと話し込んでいるのだから。まず間違いないだろう」

「あははは。そうですね」

僕はそう答えた。

「自分の意見を知られたくない人は、あなたからの誘いかけにはたぶん応じません」

「ふむ。では、二つ目の理由は何じゃ」

「『世界が神によって作られたものではない、という考えは、国家を転覆する思想に結び付いている』と考えている者たちからの攻撃の対象になりたくない」

「途中で尋ねるのじゃが、国家を転覆してはいけないのかね？」

「単に政権が交代する、という意味ではなくて、暴力的で物理的な攻撃によって時の政府を倒すという意味だったら、いけないとする立場があるでしょう。とくに、政権の座についている者との特別な利害関係者たちの間には」

「フォッホッホッホッホ。この若者は面白いことを言うじゃないか」

「面白い、ということは、あなたはこの考えに反対ですか？　それとも間違っていると？」

「それを、絶対に間違っている、とは言えないだろう。一つの立場なのだからな」

ヘルムスマンは笑いをたたえて続けた。

「世界が神によって作られたものではない、という考えに、実はわしは立っておる」

「そうなんですね」

合いの手を入れて、僕は問い返した。

「その考えの延長線上には、「死後の世界」というものもない、という観念にも乗っていますか？」

「「死後の世界」？　そんなものはない。誰であれその者の死後、ほかの者には世界は残っているが、生き終えたその者にとっては、もう世界はないのだ」

世界という言葉の定義を「その環境で人が生きて見聞きし、感じ、行動できる可能性がある空間」と置くなら、この先達者が言うことにまったく間違いはない。

「それでは、あの手塚治虫が漫画に描いた『火の鳥』に出てくるような輪廻転生というものもない」

輪廻転生は、仏教やインド哲学などの思想だ。イスラム教の一部にも見られる。

「そんなものもない。「復活」もない」

とヘルムスマンは言いきった。

「四十年以上も前のことですが、マンハッタンのワールドトレードセンター・ツインタワーに旅客機が突っ込みましたね」

「ああ」

彼は平静だが、僕が何を尋ねるかを察した合いの手を入れてきた。

「あのとき、飛行機を操縦していた人物は、おそらく自分にとっての「死後の世界」を信じていたでしょう」

死亡してしまった人からは、その人が何を信じていたのか、その本当のところを知る由もない。しかし、「自爆」を失敗して逮捕拘禁された「兵士」あるいは「犯人」からは、「自分にとって死後の世界はある」ことを信念としてもっている、という言葉が聞かれた。そこからは、集団的同時多発テロでハイジャック後に旅客機を操縦した者にもその信念があったのではなかったか、と想像できるのである。


「おそらくそうだろう」

「でもあなたは信じない」

「そんなものはない」

ヘルムスマンはそう言い放った。

「同時多発テロのはるかに以前だけど、百年前、軍国主義日本が起こした太平洋戦争では、その末期に神風特攻という操縦者が死亡することを前提にした航空機による自殺攻撃がおこなわれましたね」

「そうだ」

その返事を聞いて、僕は続けた。

「『わだつみのこえ』が紹介するように、命を捨てた、いえ、捨てさせられた、つまり「命令によって攻撃しながら自殺した操縦士たち」の少なくない数が、「死後の世界」「来生の幸福」など信じていなかった…、というのですね」

「うむ」

と年長者はうなずいた。

「つまり、あのときの為政者のかけ声は、だまされるにはあまりに稚拙な哲学にすぎなかった、と圧倒的多数の若者たちがそれを見抜いていながら、反対することが許されなかった、とおっしゃるのですね？」

「そのとおりだ」

年長者は、そう言った。

それから僕が言った。

「ヘルムスマンさん」

「ん？」

僕は少し待った。

「何かね？　言ってみなさい」

ヘルムスマンがそう促してくるので、僕は言った。

「僕からいろいろと、あなたに向かって、吹っかけすぎました」

ヘルムスマンは、鷹揚に答えた。

「ちっともかまわんよ」

そこで、僕は彼に尋ねた。

「さっき初めてお会いしたときに、あなたはこうおっしゃいましたね」

ヘルムスマンは僕が指摘するのを待っている。それで僕は確認した。

「あなたは、ご自分がこの世を去る前にひと言いわせてくれ、とおっしゃった」

ヘルムスマンの目が光った。…ように僕には思われた。

「そのひと言とは何か、…じゃな？」

「そうです」

と僕は答えた。

「わしがはじめにそう言ったのは、わしはおぬしと語りたい、…お主の考えを聞き、わしの考えを伝えたい、という意味じゃった」

僕はだまって聞いていた。年長者は続けた。

「そのわしの望みに沿って、おぬしはよくしゃべってくれた。ここでわしは、わしの「ひと言」の内容として、二つの事柄をおぬしに伝えたい」

それは、ふた言じゃないのか、…のようなばかを言っている場合じゃない。僕は年長者が何を言うのかに強い興味が湧いて促した。

「一つ目は、何ですか？」

年長者は答え始めた。

「まずわしは、「全方位」から、宗教に関しておぬしに問うてみた。なぜ、全方位と言えるのか。一つの考えじゃが、人の哲学についてベン図を描けば、それは見事に、宗教の何かの上に立っているか、何ら宗教を必要としないか、の真っぷたつに分かれる」

ベン図だね。とても簡単な図だよね。神なんか信じちゃいないけど、初詣もクリスマスも大切にする人の話とかは、また誰かがすればいいことだと思う。ヘルムスマンは続けている。

「そのどちらに立つかを知ることによって、さらに話を進めたいと思った。前者であるなら、さらにその「確信」へのエビデンスを尋ねようと思った。二つに一つだから、確率は五〇パーセントもあったのじゃが、偶然にもおぬしは後者の立場であり、わしと同じ方法を取っておった。そこでわしは、おぬしが何を言うかにいっそう興味が湧いた」

へーっ、そうなんだ。

「つまり、一つ目にわしがおぬしに聞いてほしかったことは、おぬしが世界をどういう方法で見ているかの問いかけじゃったし、そこで幕が開いた場合は、おぬしはその方法を取るならどういう事柄を問題としてとらえているのかを、応答のなかで明らかにしていきたい、という希望じゃった」

僕は僕なりに、年長者が言ったことを反芻して口にした。

「つまり、あなたは僕に「ひと言だけ言わせてくれ」と言いましたが、その一つ目の言葉は、実は問いかけだった…。僕がどんな物の見方をしているのか、そして僕は何が問題だと考えているのか、を尋ねたものだった、ということなんですね？」

年長者は、声もなく、ゆっくりとうなずいた。

「では、二つ目は何だったのでしょうか？」

年長者は言った。

「「何だった」…という過去のことではない」

「過去のことではない、というと…。それはこれからしゃべることだ、とおっしゃる？」

年長者は言った。

「そのとおりじゃ」

年長者は続けた。

「それは、わしが一つ目に尋ねたことに対するおぬしの答えについて、一緒に検討して吟味する、という意味じゃ。そのおぬしの答え、とはな…」

「待ってください」

僕には確かめたいことが湧いて、彼の言葉をさえぎった。

「あなたは、死ぬ前に言わせてくれ、とおっしゃりながら、むしろ、お前が言え…。お前はどういう考え方をしているのか、その方法に立ったら何を考えるべきと思っているのか、について、僕に語れ、と希望しているのですね？」

彼はまたうなずいた。

「わかりました。そして、あなたからの一つ目の要望に基づいて僕が語った事柄について、あなたは二つ目として僕に何を求めるのですか？」

そう尋ねると彼は簡単に言った。

「そうなったとき、おぬしは何をするのか、じゃよ」

「そうなったとき？」

「「かけ声が、だまされるにはあまりに稚拙な哲学にすぎなかった」とわかったときには、おぬしは何をするのか、じゃよ」

とても面白い問題提起だ、と僕は思った。しかし、このヘルムスマンの論法に、少し納得がいかないものが残る気がして言った。

「あなたは最初、僕に向かって、ひと言いわせてくれ、とおっしゃいましたね」

彼が聞いているのを確かめて、僕は続けた。

「「言わせてくれ」、とおっしゃりながら、むしろ、ご自分から何かを僕に向かって説くのではなく、僕に「語らせ」ようとしていた。…または、「話し合いたかった」のだ、ということだったのですか？」

「そのとおりじゃ」

僕は最後に、疑問を含む感想を口にした。

「それは、「言わせてくれ」、という言葉は間違いで、それよりは、「語り合わせてくれ」、だったののではなかったですか。僕は、あなたが、僕に対して何かを教えさせてほしい、とおっしゃっているのかと思っていました」

「「間違い」か。…そう言ってくれてかまわんよ。「教えるということは、一方通行ではない。ともに語り合うことだ」という言葉もあるよ。未来について、じゃがね」

そこまで年長者の話を聞いたとき、やはり年長のボースンが、ヘルムスマンに声をかけてきた。

「ヘルムスマン、そろそろいこう。それにしてもきみたちは、初めて会ったばかりでよくそんな込み入った事柄について話し合えるものだな」

ユーマンであるボースンの口のきき方が、どうもえらそうだ。僕にはそう映った。しかし、ヘルムスマンは、自分のユーマノイドの言葉を聞いて、うれしそうな笑みをたたえて僕に言った。

「いい機会だったよ、青年。また会おうじゃないか。次に会うときは、きみが最も愛している女性を紹介してくれ」

なぜ、僕が彼に愛する人を紹介することになるのか、府に落ちないまま僕は答えた。

「はい、ではまた話しましょう」

僕はそう言うと、ケイティにＳＮＳのＩＤを、ユーマン同士の間で交わしておくよう伝えた。

「さらばじゃ」

ヘルムスマンは、ユーマンを従えて稲田屋をあとにした。

僕とケイティは、会釈してヘルムスマンとボースンを見送った。

7　ケイティが恋をした

ケイティは、アーノルドに恋をしていた。そのことを話す。

僕とステラのことは話さなくていいのか、って？　それは確かにいつか言いたいのだけど、先にケイティがアーノルドと付き合っていることにふれておかなければならないと僕は思う。

さて、いまさらいらないこととは思うのだけど、少し復習しよう。僕たちが生きている時代は、先の大戦、応仁の乱からは五百七十年、太平洋戦争に敗戦してから百年になる。暮らしている地理的環境は、京都の愛宕山という山へ一日がかりで駆け登ってこられるような距離である。

ケイティはその晩、アーノルドと街でデートして外食した。その場に僕がいたのかと言えば、いなかった。ケイティが僕のユーマンなのに、なぜか、って？　ユーマンも一人で行動することがあるのである。そういうときに、ユーマンだけで活動できるのか、って？　できる。それどころか、二体、三体、などにとどまらず、ユーマンは組織として活動する。日常の社会生活以外に、臨時の編成が、政府からの通達によってあっという間に構成されることさえあるのである。

それは、「軍隊の編成」だ。わが国の軍の主力、いわば戦闘の主人公としての中心的な戦力の担い手は、ユーマノイドである。そもそもユーマノイドという言葉を構成している文字のうちの「ＯＩＤ」は、「オブジェクト識別子（Object Identifers）」を意味し、各ユーマンの起動時に個体別に政府から与えられた三十二ビットの整数で表される。その主な目的は、日常の社会生活でのユーマンの所在、所属、配置を全国一元的に管理するとともに、有事に際して適宜の機動部隊を編成していくところにある。つまり、社会情勢が求めていると政府が考えるとき、この識別子に基づいて陸戦隊などの特戦部隊が組織されるのである。

さらに内閣が、ユーマノイド組織で組み上げた国軍の総体を、将来的にどう展望していくかは、国民に知らされてはいない。現在、わが国に求められている戦力は、某国軍を「後方支援」する実行力である。某国軍の全地球的戦略構想に基づいて、そのときどきの作戦に必要な各個の小部隊が、地理地域的方面単位に個別編制され、順次海外に送り出されていくのである。

国内のどの地方から、地球上のどの地域へ、何人の規模でユーマノイドが動員されていったか、その記録は官僚機構が作成する戦闘支援計画のもとに、各個の作戦構想ごとに掌握して内閣総理大臣に報告されるが、国民へは三十年前に国法になった特定秘密保護法によって、まったく知らされないのである。そして、ユーマノイドに対する特戦隊への編入命令は、政府の決定によって各家庭に対して何の前触れもなく通達される。その召集の知らせは、ハードコピーとしてはマジェンダ（濃いピンク色）一色の用紙に黒字でプリントされたカードになり、電子媒体としては画面にそのカードが大写しとなった態様で各ユーマノイドの家庭に届けられた。

書面のタイトルには「臨時召集令状」として、「臨時」の文字が振られた。「後方支援」というものは定期、定時に起こるルーティンなものではない。某国の戦略上の都合と、その敵国の反撃の規模・様相によって時々刻々と変化する。このカードには、住所に続いて「第〇〇〇次補充 普通科二等陸士」などの予定階級に続いて、ユーマノイドのオブジェクト識別子（ＯＩＤ）略号と氏名が記され、本文としては、「右臨時召集を令せらるに依て左記日時到着地に参着し此の令状を以て当該招集事務所に届出ずべし」と記載してあった。続いて「到着日時」「到着地」「招集部隊」の欄が用意され、それぞれの情報が書き込まれていたのである。

このカードが届いて、うれしく思うユーマノイドは、ほぼ皆無である。そのユーマノイドが配置され、ともに暮らし、その奉仕を利用しているあらゆる人々の間でも、その知らせが届くと悲嘆に暮れる以外にはなかった。出征すると、低くない確率で負傷者や戦死者が生まれるからである。カードは絶対に受けたくないもの、いやなもの、拒絶したいものだった。しかし、そうすることはできないのだ。

ではなぜ、届いていやなものが国内にまかり通るようになったか。それは、そのことを阻止するに足る数の議員が、望まぬ立場の者として確保できなかったからである。「協力国の戦闘を支援したからといって、わが国の若者が戦闘に巻き込まれ、負傷したり亡くなったりすることは決してないのです」という説明が、その瞬間だけの事実でしかないというその限定に気づくことなく、一般的に将来永劫に通用するものであると多くの国民が信じてしまったからである。その言葉が事実に反したことは、最初の戦死者報道によって誰の目にも明らかになった。しかし、戦死者はみな「英霊」とされ、「英霊は生まれたが、誰一人として無駄な負傷者、戦死者などいないのです」というむなしい言葉だけがあとに残った。むなしく悲しく許せないと誰もが胸の内に思うものではあったのだが、事態に対するあらゆる批判が、「特定の秘密を侵すことにつながる」として、処罰の対象にされたのだった。

だまされるほうが悪い、という見方もあるだろう。だが、国民全体がだまされないために、正しい見極めに導く責任を負っている人たちがいるはずだと言わなければならない。国民の一人ひとりがよく見極め、お互いの討議のなかで正しい見地を得ること。その際に、教育者や知識人とされる人たちの役割は大きい。同時に重要なことは、時のマスメディアが、「報道の自由」が残されている間に、その報道権に基づいて、必要な情報を国民に伝達していくことなのである。

僕は必要以上に熱くなってしまったかい？　どうしてこんなことまで語ってしまったのだろう。そうだ。なぜユーマノイドを政府が随時、任意に召集し動員して戦地へ送ることができるようになったのか、という話だった。人口に膾炙されてユーマンと言われているユーマノイドのつづりの末尾にある「ＯＩＤ」が、オブジェクト識別子を意味していることも言った。それは、わが国全土で生きて生活し、活動するユーマンの全個体を掌握する政府の施策、「全住民指定番号」が、全国土ユーマノイド総個体宛てに電子的に実現した「背番号」だ。このナンバーに漏れているユーマノイドは一体もないのである。

そうして「政府の行為によって」戦闘部隊が、随時同盟国軍の「「後方支援」をおこなうべく」随時に編成され、その隊員を構成するユーマノイドが前触れもなく、全国各地から動員される有事体制が完成したのである。

待て。またこの話にのめり込んでしまう。ユーマノイドが自分たちだけで行動できると言いたかったただけなのに。

つまり、ケイティは、僕の包括的な了解のもとにではあるが、自ら進んでアーノルドとの食事に出かけたんだな。

じゃ、ケイティが出かけている間、僕が何をしていたかと言えば、ケイティが用意してくれていた食事を取ったし、SNSを見たり書き込んだりしたし、テレビも見たし、シャワーも浴びたんだ(シャワーを自分で? もちろん使えるさ。当たり前だろう。嫌いは嫌いなんだけど、ステラにいつ出会うかもしれないからね。清潔が大切)。

それで、アーノルドと出かけたケイティが何をしたのかを、どうして僕が報告できるのか、って、実はそれはケイティからはもちろんだけど、詳細にわたってはステラから聞いたんだよ。

ステラがどうして知ってるのか、って? それはね。ステラは二人についていっちゃったのさ。

小柄なステラに連れられて出かけることは、アーノルドにとってはとても普通なことだし、ケイティにとっても、普段からとくに気に入っているかわいいステラがアーノルドと一緒にきてくれるのは、うれしいことだったんだと思うよ。

ただ、「ステラが見たとき、アーノルドはこう言いました」なんて、変な口調の報告になってしまうから、僕が見てきたように話すことを勘弁してほしい。

ケイティは、玄関のベルが鳴って、もちろん僕よりも早く戸口へ出た。普通はユーマンの役目だものね。もしユーマンがいなければ僕がいくのだけど。

「あら、ステラもきてくれたのね」

ケイティが、ベルを鳴らしたアーノルドに言った。

それを聞いた瞬間、僕も玄関先に、ケイティの背中に向かって飛んでいった。ステラがいる。僕はてっきり、ステラは彼女の家で僕のように留守番してるだろうと思ってた。

「ハイ、ケント」

ステラが片目をつぶる。僕も返す。

「ハイ、ステラ」

アーノルドがそれを見ながら言った。

「うん、そうなんだよ。いいでしょ、ケイティ？　ステラはじゃましないって言ってるから」

ケイティはすぐに了解して言った。

「いいわよ。でも、ケントはいかないわ」

僕に聞こえていることをいいことに、ケイティが念を押す。そこへ、急にアーノルドがステラに尋ねた。

「じゃ、どうだい、ステラ？　ケイティはユーマン同士、僕がエスコートするから、ステラは、ケントとこちらにいるかい？」

つまり、ユーマノイド同士、アーノルドとケイティが出かけて、ステラは僕とこの家に残ってはどうか、という意味か…。えっ!?　ステラと僕が二人っきり!?　ケイティとアーノルドの二人が食事から帰ってくるまで!?

僕は平静なそぶりをしていたつもりだけれど、目だけはキラリと光ったのかもしれない。もしかしたら息遣いさえ早まってしまっていたかもしれない。誰か気づいただろうか。

ステラの様子は、と見ると、うつむいてアーノルドのそばにたたずんでいる。二人のユーマンについていくつもりなのだ。それを見て、僕は少し恥ずかしくなってしまった。僕はいかにも「ステラと二人っきりで過ごしたい」、そういうあらわなそぶりをしてしまっていたんじゃなかったか、と。

「あ、遠慮はいいのよ、ステラ。お夕食は、…まあすぐに足すことはできるのだけど、ケントの分しか用意してないし、それにステラも一緒にいくって、そのつもりできてくれてるんだものね。いいでしょ、ケント？」

そうケイティは僕に水を向けてきた。

僕としては、さっきの態度を反省するあまり、まったく平然とした顔…ができていたつもりだけど…そのままうなずいた。

「じゃ、ケント、いってくるわね」

すっかり出かける用意をすませていたケイティがそう言った。ステラは、僕に向かって少しにっこりしてから、またうつむきかげんで外のほうを見た。そのしぐさは、「ごめんなさい、ケント。あたしも二人で過ごしたいのだけど、そんなにいきなりは無理だから」と語っているのだ。ステラと僕の気持ちは、いま、つながっている。僕はそう確信した。

ステラはそうして、アーノルドとケイティを両側に従えて出かけていった。

そのときまでの僕は、「ステラは僕のことが好きにちがいない」、と思っていた。ステラがユーマンのアーノルドに、何か特別な気持ちをもっている、などとはちっとも思っていなかった。確かに、僕もケイティをよく思っている。ケイティも僕によくハグをくれる。気が向いたら僕も随時ケイティにまとわりつく。しかし、ケイティに恋をしたりはしていない。ともに暮らすパートナーとして大好きなだけだ。

ステラだって、一緒に暮らしていることからアーノルドを好きなだけなのにちがいない。そう僕は思っていた。でもそのとき少し疑念が湧いた。家族として暮らすパートナーよりは、もう少し深い思い、熱い気持ちをもっているのではないだろうか。

「ステラはね、アーノルドがあたしのことをどう思っているか、とっても関心があるみたいなのよ」と、後日ケイティも僕に言った。

「ふーん。じゃあ、付き添いというよりは、監視者、見張りだった、ってことなの?」

僕はケイティに尋ねた。やはりそうなのかと、少なからぬショックを受けて。

「そうなの。でもね、あたしたち、困ったことはべつになかったわ。ステラはよーくわきまえてくれていたから」

「そうなんだ」

僕がユーマンのケイティを好きなように、ステラもユーマンのアーノルドが好きなんだ、と思いたい…。三人を送り出した僕は、やきもきの思いを募らせた。実際には、後日談を総合すると、こんな晩になったらしい。

三人は車で、はじめに街の映画館に出かけた。

「僕は怖いシーンが苦手なんだ」

映画の途中、そうささやきながら、アーノルドは左手で、左の席に座っているケイティの右手をつかんだ。そのときステラは、私語を制するように小さい声を上げた。

「シッ」

するとアーノルドの右手がステラの髪の上に乗せられた。アーノルドは、いつも家でもするように、…散歩にステラが付き合ってくれるときにもするように、ステラの髪をやさしくなで始めた。ステラは頭をなでてくれるユーマンが好きだ。そしてアーノルドからはとくに癒されるのだ。

そのアーノルドの左手を、ケイティがそっと握り返した。ケイティの右手のひらが上を向き、アーノルドの左手のひらが下を向いて、手のひらが合わさった。一分もたたないうちに指が組み合わされていた。それから十五分もしたころに、ケイティが手を振りほどいて言った。

「もういいでしょ」

その様子を見たステラは、彼が自分の髪から手を離さないことにクスッとした。

アーノルドはというと、ケイティの言葉にショックを受けていた。自分はケイティから拒絶されたのか。ユーマンの感情の機微には、繊細なものがある。とくにアーノルドは、いつも丁寧な男だから、その気持ちを態度に表そうとするときに、少しシャイで控えめなそぶりを見せてしまう。ステラはそれがわかって困ったようにほほ笑んでいた。

しかしその実、ケイティは内心不満だった、とあとで本人から聞いた。

ケイティは、いま自分がした「仕打ち」のことを思った。しまった。あたしは素っ気なさすぎた。でも、アーノルドの動きがあんまり消極的なんだもの。あたしが手を離そうとしたら、引き留めてくれればよかったのに。「もういいでしょ」と言われたら、「いいじゃないか」と言い返して、肩に手を回してくれてもよかったのに。こんなことになったのは、あたしの失敗。でも、アーノルド、頑張ってよ。またすぐに手を伸ばしてきてほしい。何してるの、そんな真面目に映画に見入ったりして。画面ばかりじゃなくて、ときにはあたしのほうも見てくれなきゃ。また、左手を伸ばしてちょうだい。このままじゃ寂しいじゃないの。

映画館の席にかけていることは、私語がたしなめられる環境にある、ということだ。そのなかでまた、アーノルドがケイティにささやいた。

「あのね、面白い？」

この映画は、という意味だろう。二〇一〇年代の労働者の恋を描いたものだ。

「好きかい？」

続けてアーノルドがそうケイティにささやいた。

「ええ、とっても」

ケイティが答えると、「僕も」と言いながら、アーノルドはステラから離した右手をケイティの左の胸の上にそっと置いた。そして左手をケイティの背中に回して乗り出すと、自分の唇でケイティのそれをふさいだ。

ケイティはあらがいもせず、身動きもしないでそのままに、ゆっくり十を数える時間が経過した。

……あまりにもケイティが動かない。それから唇を離して、アーノルドがささやいた。

「怒ってるの？」

それを聞いて、ケイティが悲しそうに言った。

「いいえ。困ってるのよ」

愕然とするアーノルドの顔に向かって、ケイティは、もっと小声で付け加えた。

「見えないわ」

ステラは、泣き笑いの顔で大きくうなずいた。二人を応援していたのだ。

8　ハイキングに出かけたこと

「丘はいまも柴山　いぬふぐり　も咲いている
息を弾ませて登った　くにさんと一緒に登った」

という歌があるのよ、と、僕はユーマンのケイティから教わった。これは、その歌の最初の節だ。ケイティがしんみりと歌うのを聞いた。いい歌だったよ。

ケイティから聞いたんだよ、と、その朝の散歩道で、ちょうど肩を並べたステラに僕が教えた。ちょっと待った。肩を並べたのが「偶然」だった、と言うこともできる。この物語の冒頭で初めてステラとアーノルドに会ったときのように、けさもそんな時間の散歩だったからだ。だが逆に、否定できない憶測も一つあるのだ。ケイティとアーノルドが、ユーマン同士の間で「何時に出かける？」と相談しあったのではないか、という楽しい「疑い」だ。

それでは、それが事実である場合、「何という姑息なことをするんだ、ユーマンは」などと僕が思ったか、といったら、それは違う。思わない。なぜって？　それはわかるでしょ？　一つ目の理由は、僕たち——僕とステラとが、ケイティとアーノルドに気を利かせてやったこと。もう一つは、僕が朝からステラに会えてご機嫌だから。だから「姑息」なんてことは、金輪際、思わなかったのさ。

僕がそのメロディーを口ずさんでいると、後ろからケイティの声が聞こえた。

「『いぬふぐり』ね。あたしがケントに歌ってあげたのよ」

僕に向かって「ケントに歌ってあげた」と言うはずがない。つまり、ほかの誰かに向かってケイティは言った。つまり、ケイティが、アーノルドに向かって話しているのだ。

「『いぬふぐり』っていうのかい。ふーん」

アーノルドは知らないらしい。ケイティはうれしくなったようだ。聞いて、聞いて、と前置きすると全編を歌い始めた。僕にはケイティの軽やかな美しい声を、耳を後ろに向けたい気持ちで聞き入った。

いや、だからと言って、僕とステラはただ聞いていたわけではない。歌詞に歌われている、恋人同士が柴の生い茂る山に登っていったシーンを思い浮かべながら、言い合っていた。いいね、いいね、二人が登った柴が繁る山。その山は、歌詞の終わりでは彼を失った少女が一人で登って、戦争が起こらないようにする、と誓うのだが、それよりも「いぬふぐり」が咲いている山を、カップルが「息を弾ませて登った」シーンが胸に迫ってきて、僕とステラは、そんなことができたらいいなー、と同じ気持ちになっていたんだよ。

国道のトンネルをくぐって、僕たち四人は、あの池に差しかかった。するとそのそばに、ののかとジークフリートの親子が、ユーマンを連れて先をいくのが見えた。

「ののかだわ」

「ののかたちだ」

ステラと僕が思わず一時にそう叫んだ。

「ステラ!」

「ケント?　急な大声はねえ…」

ユーマンのアーノルドとケイティがそれぞれ僕らに対してそう言うのと、ののかとジークフリートがこちらを振り返るのが同時だった。

ステラと僕は、一応僕らのユーマンを見る。事情がわかっているか…ののかたちのほうに駆け寄っていくつもりであることが伝わっているか、を確かめたくて。

ケイティとアーノルドが僕らにうん、うん、とうなずくので、僕とステラは、ののかたちのほうに駆けだした。もちろんステラは、僕に遅れじとかなり一生懸命に。僕にとっては、ほんのジョギングだ。ケイティたちはそのまま歩いてきた。

「ののか！　ジークフリート、こんにちは。お散歩なのね」

ステラが呼びかけた。

「ステラ！　ケント！」

ののかが応じる。

「ステラ！　ケントおじちゃん」

そう言うジークフリート…。待て、ジークフリート！　ステラを「おばちゃん」と呼ばず、なぜきみは俺だけに「おじちゃん」と付けるのだ！　まあ、子どものことだから、この問題は不問に付してやる。

「いまね、ケントと山登りしよう、って言ってたのよ」

そう言って、ステラが僕を振り返る。ののかの目が、「山登り」の言葉に輝いた。

「うん。ハイキング、かな」

僕が答えると、ジークフリートが反応した。

「ハイキング！　いいな、いいなー！」

その息子の声を聞いて、ののかが何度もうなずいている。

「リヒャルト、おはよう」

ケイティとアーノルドが追い付いてきて、言った。

「おはよう、ケイティ、アーノルド」

ののかたちのユーマン、リヒャルトが答えた。

「リヒャルト、結構なものをごめんなさいね」

ケイティが届いた果物の礼を言うと、リヒャルトが引き取った。

「どうして⁉　この間も言ったけど、お礼言うのはもちろん僕たちのほうさ。ケイティ、ありがとう。そして、ケント。何度も言ってすまないけど、あのときは本当にありがとう」

僕はとくに言うことがないので、照れて黙って聞いていた。そこへののかが言った。

「あらためて、ケント、ありがとう」

「えへへへ」

僕がそう返す。すると、ののかが息子に向かって言った。

「ジークフリート。何ていうの⁉」

少年は、きょとん、とした顔をしている。

「えっ⁉　お礼？　お礼はこの間、言ったよ。また言うの…？」

「ジークフリート・フォン・ニーベルンゲンリート！」

ののかが息子の姓名をすべて叫んでたしなめた。

「はーい」

不承不承、少年が口を開いた。

「ありがとう、ケントおじちゃん」

…「おじちゃん」まではいらんのだ、とは言わない僕だった。

「ジークフリート。「おじちゃん」は、つけなくていいわ」

ののかはそう言ってくれたが、ステラは違った。

「いいのよ、ジークフリート」

そうステラが言い、僕も力なく和した。

「いいんだよ」

「それでね、今度の日曜日に、ハイキングしようかな、って」

そうステラが、思い切ったような、しかし、本当に明るい笑顔で誰にともなく言った。

「おっと。待ってよ、ステラ」

そうアーノルドが言った。

「そんなこといつ決まったんだい？」

「アーノルド、さっきの歌、「いぬふぐり」。ケイティがアーノルドに歌っている間に、ステラと僕が相談したんだよ」

僕がそう答えた。

「ケイティ…」

アーノルドがケイティのほうを見て口ごもる。ケイティは、あっけらかんとして言った。

「アーノルド、いいんじゃないの？」

「今度の日曜日はね。僕は仕事で出かけなきゃならないんだよ」

「いいじゃないの」

ステラが明るく言った。

「ユーマンがついてこられなくったって、ちっともかまわないわ。トラムにも乗るけど、ほら、このアタッチメントをかざせば改札だって大丈夫だし、それに、ときにはユーマンを連れないで、あたしたちだけで活動したっていいじゃない。いま、世の中、みんなユーマンに頼りすぎなのよ」

ステラのスピーチは立派だ。以前は口数少なかったのに。最近では打ち解けた人々の前では「心を開いて」くれたんだろうか。普通、長話をするのはユーマンなんだけれど、ユーマンでないステラも最近は長めの会話が得意になった……。

まあいい。いまはこのステラの「立て板に水」の話し方で、そんなふうに話がまとまっていってしまったことだけを言い残そう。ののかとジークフリートもハイキングに参加することに。リヒャルトとアーノルドは仕事の都合で不参加なので、ユーマンではケイティだけが、僕たちについてくることになったのだ。

子どものジークフリートの喜びようといったら、ない。ののかもうれしそうだ。ヴォルフガングが中東に出かけて、母と子だけが彼を待っている。パパがいた頃、三人だったときは、確かにユーマンのリヒャルトも連れて四人で、よく「丘越え」ハイキングに出かけていたらしい。強いヴォルフガングが頼りになったからだろう。そこへ親が母一人のいまとなっては、遠出は負担、とののかは思っていたとおぼしい。

集合時間と場所を決めて、僕たちはみんないい気持ちで別れた…。

「ええっと、そうだ。ケイティ、僕とＳＮＳのＩＤを交換しあっておこうよ」

その別れ際、そうリヒャルトが提案した。

「いざというときの連絡、ってこともあるから、「本人、同居家族」で登録させてね」

「いいわよ」

そうケイティが答えた。

「いざというとき？」

ジークフリートが小声で言ったが、とくに誰も答える者はなかった。

そこへ、リヒャルトが重ねて言った
「僕と同じく、いかないアーノルドはいいの？」

ＩＤ交換について尋ねたのだ。

ケイティが少し頬を赤くして答えた。

「大丈夫、アーノルドとは以前に交換したから」

それを、リヒャルトは「オーケー！」と何かに気づいたかもしれない表情で聞いて、持っていた端末を、ケイティの目の前で、彼女の振るのに合わせて振り合った。

「来たよ！」

リヒャルトが口に出して言った。

「こちらも着信した。あれ、再起動が始まったわ」

ケイティが言った。

「あれ、僕もだよ」

リヒャルトもそう言って続けた。

「でも、再起動してる、ってことはＩＤの交換はできてる、ってことだと思う」

「そうね。何かおかしかったら電話で連絡取り合えるから大丈夫よね」


その次に、ケイティを連れた僕と、ステラ、ののか、ジークフリートが再会したのは日曜日の朝だった。

電車を乗り継いでひなびた駅に降り立った僕たちは、浮き立っていた。全員の気持ちがか、といえば、ユーマンのケイティ以外の僕たちだった。

何しろケイティは、よく地図を眺める。とても慎重だ。そもそもユーマンは慎重なものだ。また、散歩のときでもそうだが、僕たちに比べるとユーマンは歩くのが遅い。とにかく遅い。前にも言っただろうか。ユーマンは、自転車や車に乗らないと速く移動できない。

「ケイティ、ケイティ。何してるのお」

ジークフリートが、後ろを振り返ってケイティをせかす。

ケイティは、といえば、駅の脇にあるバス停の時刻表をにらんでいるのだ。

「どうして調べてこなかったんだい、ケイティ」

僕が言った。それどころか、いまインターネットで調べればいいのだ。

「何言ってるの、ケント。登山は本気でやらなきゃ」

ケイティが言った。何をもって「本気」と言っているのだろうか。いま目的地への最寄の駅、御所駅で下車した僕たちは、登山口までの四キロを「当然に」歩くつもりだったのだが、ケイティが駅舎外にバス時刻表を見つけた。…ということは登り口まできっとバスが通っている。「本気」で山登りするには、その山登りに体力のすべてを傾注する気持ちでいかなきゃね。山登り以外の場所の移動はかなうかぎり交通機関を使う…それが「本気」であり「本格的な心構え」なのよ…、のような論理が簡単にケイティの心をとらえてしまい、その心に命じられたケイティがバス時刻表にハマってしまった図が展開されていたのだった。

「そんなのに頼らなくてもいいんじゃないの」

とジークフリートがせかしても、

「あたしのようなユーマンの、「つもり」ってものがあるのよ。わかってね」

という始末なんだ。けれど、その努力とすがりついた態度にもかかわらず、バスは一日のうちに四本しか出ていないこと、僕たちが駅に着く前に出たばかりのそのバスのダイヤでは、次の便は二時間四十分もあとだということがわかっただけのことだったのだった。

「…いいわ、歩きましょう」

ようやく諦めたケイティが言った。

「だって、ハイキングって、歩くのが普通じゃないか」

僕が言うと、ジークフリートが「うん、うん」と大きくうなずいている。ののかは、というと、ステラと一緒に、くすくす笑っている。

「オッケー、じゃ出発！」

そう元気に言ったあとで、ケイティは誰にも聞かれないように小声で何かを言っている。

たぶん、こんなことだ。

「なによ、あなたたち。あなたたちはもともと散歩もロングマーチも大好きなのよ。あたしたちユーマンは、あなたたちみたいに早くは歩けないんですからね。それだけはわかっててほしいものだわ。ブツブツ、ブツブツ…」

「なあに？　もう帰りたい、って？」

僕が冷やかすように言うと、ケイティはむきになって答えた。

「さあ、みんな頑張ってちょうだいよ。ハイキングは始まったばかりなんだから。ぐずぐずしてると置いていくわよお！」

「何言ってるの、ケイティ。いちばん遅れてるのはあなたじゃない」

ジークフリートが真面目な気持ちでそう尋ねようとした。そこへステラが言った。

「いいのよ、ジークフリート。ユーマンのケイティはね、いい人なのよ。みんなを励ましたり勇気づけようとしたり、それであんなことを言ったんだから」

ステラの言葉に、ののかが笑顔でうなずいている。

「そうかなあ。そんなふうじゃなかったよ」

ジークフリートが首を傾げた。

「いいんだよ。ジークフリート。さあおいで。駆けていこう」

まだほとんど平坦な平野部なのだ。山のすそ野までの四キロばかりをランニングすることを提案した僕に、向こうに見えているその山の位置から、だいたいの距離を予想したジークフリートが、元気に「うん！」と答えた。

そのとき、ステラとののかは先に立って、何か話しながら前を歩いていた。

「いいわよ、一本道だから。どちらにしてもあの山のすそ野にロープウエー駅があるから。少々間違えてもたどり着けるわ。男子はどうぞ駆けていっててちょうだい」

ケイティがそう言うので、駆けだそうとした僕だったのだが、ジークフリートの顔を見て、ふと足を止めた。

「パパ…」

ジークフリートの口からその言葉が漏れた。

「パパの声が！」

「どうしたんだい、ジークフリート」

僕が尋ねると、ジークフリートがあたりを見回しながら答えた。

「いま、パパの声が聞こえたんだ！」

そんなはずはない。ジークフリート少年の父、ヴォルフガングは、いま中東で、某国の「後方支援」という戦争に参加しているのだ。ユーマンの兵士たちの間で。

少したたずんで耳をすましていたジークフリートが我に返ったような顔をして言った。

「ケントおじちゃん、ごめんなさい」

その、おじちゃんはいらないんだよ。その僕の憤慨がこの少年に伝わっているのかいないのか。

「きっと勘違いだよ。いこう」

そうして僕たち二人は、山のすそ野を登山口に向けて駆けていった。

「おじちゃん、速いね」

ジークフリートが言う。

「ジークフリートもよく練習すれば速くなれるさ」

「うん、なれるんだよ。僕は」

自身たっぷりだな、こいつは。

「僕は、ヴォルフガング・フォン・ニーベルンゲンリートの子どもだからね」

小憎たらしい坊主だ、こいつは、と僕が思っていると、ジークフリートが重ねて言った。

「でも、おじちゃんも速い。もしかしたらパパよりも速いかもしれない」

お、いいことも言うじゃないか。

「ののかママがね、そう言ってたんだ。ケントおじちゃんはパパよりも速いかもしれない。だって
パパよりも体が大きいから、って」

ののかは僕をよく見てるな。そこで僕は尋ねた。

「その、「おじちゃん」、ってのは、ママが言うのかい？」

「うん、そうだよ！」とジークフリート少年が元気いっぱいに答えた。

9　テレパシーとしか思えない

あとからわかったことだが、僕たちがのんきにハイキングしているそのときに、ののかの夫でジークフリートの父親は、「後方支援」の戦線で生死を決する厳しい状況にあった。しかし、そのことを話す前に、ハイキングの続きをもう少しだけ続けさせてほしい。

僕たちは葛城山ふもとのロープウエー登山口駅までの道を歩いた。もっとも、歩いたのはステラとののか、そして僕のユーマンのケイティの女子組で、少年ジークフリートと僕は走ったのだ。

山のふもとの登山口まではまあ平地なのだが、やはり上り坂ではあるから、結構な運動になる。体力的にも体格的にも普通以上の僕にとっては、苦しい距離ではない。ただ、少年ジークフリートにとっては、ばかにできない道のりだったろうと思う。しかし、彼のペースは悪くなかった。「お父さんより大きい人かもしれないが、負けるもんか」そんな気持ちがはたらいたのかもしれない。

「いいかい。ジークフリート。こんなふうに息継ぎするんだよ。…もう半分はきた。もう少しだ。頑張れ」

うん、うん、と答えた少年も、ロープウエー登山口駅に着いたときには、へばっていた。

「頑張ったたな。速かったぞ。早く着いた」

うん、とだけ答える少年。口数が少なくなっている。これからが本当の山登りなのだ、という現実がジークフリートの気持ちを萎えさせていたのかもしれない。

「おじちゃん」

「なんだい？」

「あのね。ここからどうするの？　歩いて登るの？　ロープウエーに乗るの？」

ロープウエーに乗る？　そんな選択肢があったか。そういえば、ユーマンのケイティだって歩きたいと言うかどうかわからない。以前、愛宕山には「駆け登ろう」と勇んでいた僕らだったのに、あんなこともあったことだし。ののかだってわからない。いちばん肝心のステラだって、どう言うだろう。「ステラとハイキングだ！　やったー」などと子どもじみて喜んでいた僕。ステラがロープウエーに乗ると言ったらどうしよう。

「おじちゃんはどうするの？」

ジークフリートが聞いた。

「うーん。僕はもちろん歩いて登るつもりなんだけど。駆けていってもいいんだけどなあ」

「ええーっ!?　ここから頂上まで走って登るの？」

「ゆっくりジョギングでいいんだよ。どっちがいい？」

僕の言葉は、少年の野心にとどめを刺してしまったかもしれない。おじちゃんが言う選択肢には乗り物が入っていない、絶望…、みたいな…。

「いいよ、ののかおかあさんたちが着いたら相談しようよ」

気を取り直させようとしてそう答えながら、僕の気持ちは、できるだけみんなが歩いてほしい、と希望していた。そして、そちらにステラが入ってほしい、と。

彼女らを待つ間に、僕は乗り場で、ロープウエーの発車時間を確かめた。どうしてインターネットで確認しないのか、って？　それはユーマンがすることだからさ。そういった込み入ったことはユーマンがしてくれるのが普通なんだ。いまさら断ることでもないのだけど。「普通」僕たちはユーマンにかなり込み入ったことをさせている。運転とか、掃除・洗濯とか、光・水・熱費の支払いとか。あ、ごめん、ごめん。これはもう前に言ったね。えっ？　忘れたって？　いずれにしても、ユーマンを連れていないと不便をすることもまあ確かにある、っていうことの一例かな、これは。

ロープウエーの時間は大丈夫だ。えっ、何だって？　ＪＡＦカードをもっていたら割引がある？　あるぞ、それはケイティがもっている。え？　本人一人だけ？　せこいなあ。まあそう言うべきでもないか。

ケイティたちが到着した。どの道を登るかについては、僕とステラが登山路。不動明王櫛羅の滝という名所を通る。ケイティ、ののか、そして、少年ジークフリートは音を上げてロープウエーを選んだ。僕の内心は「よしっ！」だった。なぜかって？　聞く、それ？　それからあとでわかるのだが、ののかは体への負担を軽くしたい事情があってロープウエーがあるこの山のハイキングに参加したのだった。

「じゃあ、上でね」

そう言ったケイティが続ける。

「あたしたちは、展望台を見たら、高原ロッジで休んでるわ。そこで待ち合わせましょう。合流したらお昼よ。鴨鍋だそうだから、楽しみね」

「うん、じゃケントおじちゃん、先にいってるよ。もうおなかがすいてきちゃったなあ。ここまで一生懸命走ったから」

「ジークフリート！」

ののかが笑いながら息子の調子よさをたしなめた。

「えへへ！」

ジークフリートが照れておちゃめに笑った。

ロープウエー登り口から離れて、ステラと僕は登山路に入った。渓谷沿いの道だ。ステラは、と見ると軽快に歩いている。

もう降りてくる登山客もある。ユーマンが多い。ユーマンだけでハイキングをする、ってことも少なくはないんだ。ユーマンの個体は、人にもよるが、山好きが多いかもしれない。一日の午前中、まだそんなに遅くない時間に下山してくるユーマンと擦れ違う。ちょうどユーマンの一人を連れた人が降りてきたので、声をかけた。

「おはようございます」

「おはようございます。ご苦労さまあ」

「朝早く登ったんですねえ。もう下山ですか？」

「僕のユーマンが音を上げちゃって、途中で引き返してきたんですよ」

「そうなんですね。それではお気をつけて」

その人と別れてから、僕たちは不動明王櫛羅の滝の前でポーズをとった。

「決まってるわ。ケント。やはりあなたは堂々としてたくましいわ」

「ありがとう。ステラは清楚だし、きれいだよ」

もっと気を引くようなことを言いたいのに浮かばない。けれど、そのたどたどしい僕の言葉にステラの頬が染まった。そんなふうに僕には映った。いい兆候だ。

滝の音と景色、そしてかわいいステラのしぐさは記憶に残ったが、肝心の不動明王というものがどこにあったのか、どんなものだったのか、見たのか見なかったのかさえも忘却の彼方に飛び去ってしまったことを告白しなければならない。重点の置き方の問題か。

木々の間を、崖っ縁を、僕たちは先へ進んだ。

「大丈夫？　ステラ」

「ええ、大丈夫よ。あなたは、ケント？　あ、ごめんなさい。聞く必要ないわね」

「そんなことないさ。聞いてくれるとうれしいよ」

「そう。だったら、あたしもうれしいわ。あ、そうだ。あの人に聞いてみよう、っと」

下山してくるスリムなユーマンの男性にステラが呼びかけた。

「こんにちは。ここは、もう頂上までの半分、きてますか？」

小柄なステラからの声に気づいて、そのユーマンは言った。

「ああ！　びっくりしたー。あなたたちはユーマンを連れずに、自分たちだけで？　すごいなあ。

ああ、ここは、そうですねえ。三合目くらい、かな」

頂上までの三割に達したということだ。たったの…？

「あ、ありがとうございました」

少し落胆ぎみのステラが礼を言った。少し呆然として降りていくユーマンを見送るステラ。

「三合目、なんだって」

ステラがぽつんとそう言った。

「それだけまだ楽しい道が続く、ってことじゃないか。僕はうれしいよ」

「あたしも…」

そう言いながらしばらく登ると、梯子を寝かせたような橋に差しかかった。百メートル以上も下方に渓谷が見晴らせる登山路が、手摺りが付いた臨時の橋によって補修されているのだ。その橋を、僕は前に立ってすたすたと渡って振り向いた。橋の入り口で、ステラが躊躇している。確かに梯子を寝かせただけの橋だから、踏み外せば谷へ落ちる。もし、梯子が地面に置かれているのだったら、誰だって迷うことなくその踏桟（とうざん）（梯子の横棒）を次々に踏んで渡りきるだろう。ステラは、高所恐怖症なのだろうか。僕は、また逆にその橋を渡って、ステラの脇に戻った。

「ステラ、大丈夫？　もし何だったら、僕がおぶってあげるけど」

「え、ええ。それは大丈夫。ちょっと勇気を出すわ」

その声に、うん、と僕。

「じゃあ」

そう言ったステラが、僕の目を見ている。…まだ見ている。…まだ見つめている。何だろう。…まだ見つめている。違うかもしれない。

そんなことじゃないのかもしれない。でも、いまを逃したら、僕は後悔するのかもしれない。それで僕は言ってみた。

「じゃあ、これで勇気を出してくれる？」

そう言って僕は顔をステラに近づけた。

ステラはその僕の目を見ている。まばたきもしないで見ている。僕の顔がステラの顔にどんどん近づいていく。もうこれ以上近づいたら鼻同士が接触するか、唇が触れ合ってしまう。

ステラが瞼をスッと閉じた。僕の唇がステラのそれに重なった。ステラは逃げない。強く押し付けてはいない。そっと触れ合っている。これ以上にうれしかったことは、僕はいままでなかった、と思う。もう、離さなきゃ。離れなきゃ。

僕が顔を引いて、唇を離すと、ステラが言った。

「ギュッ、て、して」

その小さい声に押されて、僕はステラを抱き締めた。そしてまた唇を重ねた。とてもいい匂いがする。柔らかく薄い唇。それが上下に少し開いて、僕の舌がそこをそっとなぞることを促した。と、僕は思った。だからそうしてみた。

終わりたくない。もっとこのままでいたい。

どれだけ時間が経ったのだろう。

五秒くらい？　いや、十秒以上かもしれない。わからない、五分以上、または十分を超えてそうしていたのかもしれない。時間のことはわからなかった。だけど、そうしていたことに、どちらからも異議を唱えなかったことだけは事実だったんだ。

やっと離れたのは、僕からだろうか。いや、そんなことはないはずだ。ステラからだろうか。でも、僕には、ああステラが離れていく、という記憶も感覚もない。

気づいたときには、二人で見つめ合っていた。そしてステラがこう言ったことはよく覚えている。

「切りがないわね」

それは、やめたい言葉とはとれなかった。こうしていたい。でも来年までこうしてる、ってこともできないもの。極端に言えば、そういう気持ちで僕たちはそのことに「区切り」をつけた。

そうしたあと、ステラが、いかにも楽々と軽々と梯子橋を渡っていくのを、僕は後ろから眺めていた…。

テレパシーというのは、いまステラと僕の間にあったものではない。これから話すことなんだ。早くその違う話をしないか、って？　ごめん。遅くなった。いま、その話をするよ。とんでもないほどのことなんだ。

それが起こったのは、僕たちが待ち合わせた高原ロッジで落ち合って鴨鍋パーティーを開いたあと、頂上の草原を散策していたときのことだった。

「ママ、ママ。お父さんの声が聞こえるよ！」

ののかがジークフリートの声を聞いて立ち止まり、耳を立ててあたりを見回した。そして僕たちは、ユーマンのケイティが背負っているリュックサックのポケットを見つめた。見ていないのはケイティだけだ。ケイティには自分の背中が見えないからではなく、声が聞こえてくることに気づいていないのだ。

ユーマンが聞こえる音の周波数は僕たちとは違いがある。僕たちが四十ヘルツから六万ヘルツあるいは血統によっては十万ヘルツの音を聞き分けるのに対して、ユーマンたちは、二十ヘルツから二万ヘルツの音を聞き分けられるにすぎない。ジークフリートは、僕たちのなかでもとくに優れた聴力をもっていたのだと思う。また、肉親の声は、いわゆる「ティーパーティー効果」という、聞き慣れた音の種類や声紋、または特定の単語を、多彩な雑踏のなかでも聞き分けてしまう能力によって、少年の耳に響いたものだったのだと考えることができる。

つまりそのとき、ケイティのリュックサックのポケットに入れた携帯端末がののかの夫でジークフリートの父親の、ヴォルフガングの声を発していることに、ケイティ以外のみんなが気づいていたのだったのだ。少なくとも何か高い周波数の音がそこから聞こえることに、ケイティ以外が気づいた。

「えっ?　みんなどうしたの?　あたしの顔に何かが付いているの?」

「違う。きみの携帯端末から音声が流れているんだよ」

僕がケイティに言った。

ケイティは、狐につままれたような顔でみんなの視線の先をたどり、自分の耳には何も聞こえてこない音を発している端末を、リュックサックのポケットから取り出した。

「ケイティ、その音声を録音して！」

僕がそう言った。

「あら、本当だわ、何か聞こえるような気がするわ。はい、録音を開始したわよ。何分、録るの？」

「終わるまでだよ」

僕たちが聞き取れる高さの声で、携帯がしゃべっている。なぜこの携帯が鳴るのだろう。

あとでわかったことだが、ののかたちのユーマン、リヒャルトとＩＤを交換した際に、どういう仕組みでか、ケイティの端末に、ＳＤＦ協力者リヒャルトの緊急通信特定アドレスが登録されてしまっていたのだ。その際に暗号プロトコルを解析するハッシュ関数コリジョン探索アプリケーションもコピーされて端末が再起動した。そして、例年六月の梅雨に影響されない超高空の澄んだ空気のなかで、毎年起こる地上高百キロ付近のスポラディックE層という電離層の突発的な密集が、この年の太陽黒点十一年周期のもとで強く発生し、ＳＤＦの分隊が用いたＶＨＦ無線通信の信号が変調されて、中国大陸上、数カ所のリピーターを経てインターネットにつながり、ケイティの端末に着信していたものだったと推察された（この一文の長さ、ったらないね）。

しかしあのときの僕たちには、ヴォルフガングの声が、一万キロ彼方の息子ジークフリートと妻ののかのもとへ、テレパシーで届いたとしか考えられなかった。

「…Hello, Headquarters, do you read me? This is Mixed A9 group of Grenadier Squad at the Mechanized Normal Department of SDF as a Combat Service Support team…」

そんなばかな。お父さんの声に似ているだけよ。ののかが自分に言い聞かせるようにつぶやく。

ところが、送信者が姓名を名乗った。

「…Headquarters, do you read me?　…本部、本部、感度ありますか。こちらはSDFミクスト普通科機械化擲弾兵分隊A九。わが班のユーマンは重体の一人を残して全員が戦死するか行方不明となったため、ユーマンのハンドラーに代わってヴォルフガング・フォン・ニーベルンゲンリート・Dが端末から送信中…」

ケイティの端末の画面は、送信者が音声を発すると英語をバックに、市街戦で破壊された建物と埃のなか、ライフルの跳弾通過音、遠くないところで砲弾が着弾すると同時に画面が揺れてさらに埃が舞うシーンが展開されていた。映画なのか⁉　違う‼　画面の左肩に表示されている「現地時間」は、まだ午前七時だった。

「本部、本部。この端末GPS情報からこちらの位置を逆探知して、至急空挺の増援をお願いします。本件、ユーマン分隊長マイケル・マツイ・ブルックス・Hの指示で送信中。本部、本部。聞こえますか。カム・ゲリラの奇襲を受けて「後方支援」擲弾兵分隊A九は壊滅…」

本部からの応答が聞こえてこない。ヴォルフガングにも届いていないのだろう。彼の英語のむなしい叫びが繰り返される。ののかは顔面が蒼白だ。信じられない、と尻もちをついて嗚咽している。その背をステラがやはり蒼い顔をしてなでている。

そのとき、ジークフリートが叫んだ。日本語だ。

「パパ！　パパ！　頑張って！　大丈夫だよ！　僕がついているよ！」

一瞬、端末からの声が途絶えた。泣きながらのジークフリートの声にヴォルフガングの日本語が答えた。

「…ジークフリートか⁉　おまえ、どこにいるんだ⁉　バグダードか⁉」

「日本の奈良県だよ。僕は大丈夫！」

「信じられない。おまえは日本にいるんだな、わかった。絶対にここへきちゃいけない。戦地へは絶対にくるな！　いいな…」

そこで画像が震えて、そして消え、先方の周囲の騒音にも雑音が交じり、そして途絶えた…。

「パパ！　パパー！」

「あなた！　ヴォールフ ガァーーァング！」

僕は茫然とそれを見つめていた。

いまのは、何だったんだ。誰かの、ジークフリートたちのいたずらか。

抱き合うののかとジークフリート。二人に覆いかぶさるケイティとステラを見ると、そんないたずらなどであるはずはない、とわかる。

帰り道、僕たち五人がロープウエーを降りたとき、ケイティの端末がまた音を立てた。災害や特別のニュースを受信した際に音声が入る仕組みによる緊急通報だ。バックに何かの曲が流れている。

「臨時ニュース。臨時ニュースを申し上げます。中東に展開する同盟国軍を後方支援するわが国SDFの隊員のなかに、複数の戦死者があったことが確認されました。これはわが国のSDF、自己防衛戦力が「後方支援」する活動のなかではじめて起こったできごとです…」
「「うみゆかば」だわ」と、ケイティが唇を嚙み締め、涙を流しながらメロディーの名を口にした。

10 誕生・帰還、何をしなければいけないのか

「「後方支援」という行為は、前方でおこなわれている戦闘が滞りなく遂行されるよう、サポートをおこなうこと、と聞いていています。だから、戦闘行為そのものではない。したがって、同盟国軍本隊が対峙している敵戦力、もっと具体的に言えば兵器を操作している敵対する人間に対して、後方支援者が直接に攻撃をかける、つまりけがさせたり殺したりすることはないし、それを逆に言えば、先方からも支援者が攻撃を受ける可能性がない範囲での行動をするにすぎない、と解釈されてきた。そこへ、具体的に今回のように「戦死者」が出た。それは、憲法を曲げて掲げたところの「後方支援」の言葉が約束した範囲を逸脱しているのであって、そこには、そもそもの「平和を積極的に維持する」という目的が嘘だったということが端的に示されているじゃないですか」

「嘘をついた、とされると、これは聞き捨てならないですね。あなたの結論は、あなたが言う理由からかけ離れている。目的は嘘ではない。まず、先生がおっしゃっている「こちらには生命の危険がおよぶことはない」という前提が違う。戦場の現場には、私たちが机上で空論するのとは異なる「現実」というものの重みがあるのですからねえ…」

「待ってください。そもそも「後方支援者が戦闘に巻き込まれることや従事する者に命の危険などは決してない」、そう言ったんじゃないですか。前提が崩れたのですよ。しかも、後方支援の分隊が奇襲を受けている間に、本国の小隊は無傷で撤退したというじゃありませんか」

「現象としては、…結果としてはそうだったかもしれませんが、後方支援隊が本国主戦闘隊の身代わりになったのでも「犠牲」になったのでもありません。だから、会議室で私たちが議論するのと、現実に起こることとの間には落差があるんだ…」

テレビから屁理屈を述べあっている声がする。傍らでケイティがコーヒーカップを手に、同じソファにもたれているアーノルドに話しかけていた。ユーマンに特有の早い口調で。二人の間では単位時間あたりの情報量がとても多い。

僕は、といえば、床のカーペットの上にステラと腹這いになっていた。頭を上げては、ケイティとアーノルドを見比べながら、二人のユーマンの話をできるだけ聞き取ってやろうと頑張ってたんだ。ステラも、二人の言うことは気になるらしい。何しろ、僕たちと同族の友人ののかの夫であるジークフリートの父であるヴォルフガングの安否をずっと気にしているからだ。

あのハイキングから帰って、最初の「動転した」二週間、三週間が過ぎても、まだヴォルフガングの安否はわからない。リヒャルトからの問い合わせに対しても、地方所轄SDFスポークスマンの回答はまったく変わらなかった。

「戦地の作戦行動のため部隊に編制された個人の消息は、特定の秘密に該当するので、家族、ブリーダーであっても、オーナーであっても、内容を漏らすことはできない」

その一点張りなのだ。

ソファでテレビを観ながら、ケイティがアーノルドに言った。

「「人が人を殺すことはない」という何の根拠もない「約束」のもとで、臨時徴用を受けたリヒャルトのような例が全国に何件も起こったのかしら」

僕たちは、自分たちを指してもユーマンを指しても「人」という言葉を使うが、法的には「人が人を殺す」の主体が僕たちであれば、僕たちはユーマンではないから、客体である人イコール、ユーマンを殺す主体は人ではないことになって、「人が人を殺す」ことにはあたらない、という筋なのだ。それ自身があまりにも拙い言い逃れであることとあわせて、ユーマンが僕たちを道具のように使って人を殺すなら、ユーマンが人を殺したのと何の変わりもないものだ、ということを見なければならない。人が包丁で人を刺した場合、「刺したのは俺じゃない。この包丁なんだ」と言い逃れることはできない、調教師がライオンをけしかけて観客の一人を殺した場合、「犯人はライオンだ。人間ではない」と言い逃れできるはずがない、のと同じことだろう。

「どうだろう。それが理由なのだとしたら、それは歴史的に言って、後世に相当なお笑い草になる「言い逃れ」だね」

「ちょうど、ヴォルフガングたちが配置された、擲弾兵分隊っていうの?、あれは試験的な後方支援実働隊だったのですってね。どうして前線にいかされたのかしら」

「うん。僕もよくは知らないんだけど、この特別な編成の力を試そうとする作戦がとられたのだったかもしれないなあ」

「人間と動物が一体となって兵力にされるって、…こんなことは、戦争では新しい体験なの？」

「いや、そうではないね。馬は間違いなく何千年も昔から戦争には使役されてきた。鳩を通信のために使ったこともあったよ」

「軍馬、そうだったわ。それに軍用伝書鳩ね」

「ほかにも犬を使った作戦はかなり昔からあった。平時でも、空港の麻薬犬が…麻薬を常習している犬じゃないよ…人間にはない嗅覚によって、麻薬を密輸しようとする犯罪者を発見することに役立ってきてくれているようにね。犬は視覚も嗅覚も人間よりも優れているから、警戒したり、捜索とか探知する能力も役に立った…」

「そして、直接的な攻撃能力ね…」

「そうだね。ヴォルフガングたちは、人間のハンドラーと一緒に、特別なバトルスーツを着けて実際に戦闘を担う部隊だったらしい」

「その資料があたしの携帯端末に蓄積されていた。早くデリートしたいわ」

「うん、これだね」

アーノルドがケイティとの親しさを示すかのように、彼女の携帯端末を操作した。ケイティの端末には、あの日のヴォルフガングの声をはじめ、所属していた部隊をバックアップする武装や兵站、輜重に関する情報がパッケージとして記憶されていた。アーノルドが検索すると求める情報がテレビのモニターにミラーリングした。

「なんなの、これ？　これが戦闘服なの？」

「軍用犬のための現代のアドバンスト・バトルフィールド・クロス。進化した戦闘服だね」

「スーツなの？　着用するともとの犬よりも巨大になるわね。それになんてゴテゴテしてるの？」

「背中にガトリング砲という銃身回転式の機関銃を担いでいる。きっと取り外しができるよ。ロングレンジライフルの換えもある。ヘルメットにはノクトビジョン（暗視鏡）が装着されていて、照明がない場所や夜間の活動ができる」

「アーノルド、詳しいわね。こう言っちゃなんだけど、何か、話が弾んでない？　心なしか、あなたの目が少し輝いているような…」

「えっ？　ギクリ」

と口に出して、アーノルドが言った。

「どうしてかな、ごめんなさい。武器や兵器のことは、なんだか詳しく知りなくなるんだよ」

そのケイティの指摘を反省の糧にしたのかしなかったのか、アーノルドが続けて言った。

「軍犬用のガスマスクまで背嚢に張り付いてるぞ」

「軍用犬にガスマスク？　そんなものがいるの？」

「犬はね、人間よりももっと危険な場所に切り込みを仕掛けたり、人ではとても通れない弾幕の間を抜けて伝令についたり、場合によっては爆薬を仕掛けたりもするんだ」

ケイティが、僕とステラの背をなでてくれ始めた。

「犬に、なんて恐ろしいことをさせるの」

「本当だね。人間もそうなんだけど、犬も新しい武装アイテムを見せられると目を見張るんだってさ。これは何だ、こいつはすごい、こんな点が使用者の自分と人間のハンドラー…、ハンドラーっていうのは軍用犬の使い手のことだね、…人間と犬のチームのことを考えてくれている。そしてすごい殺傷能力だ！とか、なんて有効な活動支援ツールなんだ！　なんてね。ところがね…」

「…犬がそんなことを考えるなんて…。あたしは、ないと思うな」

「その新兵器のうわさや、かなり正確な仕様、そしてその弱点はとっくに敵方が知っていて、ニューアイテムのドライバー…。新兵器の使い手だね。彼または彼女は、たいていの戦闘でまず真っ先に狙われて、少なくない割合で命を落としてしまうらしい。だから、兵士は一瞬目を見張ってはしゃぐけど、次に恐怖に包まれる。これを持つということは、これを使って人を殺すということであり、逆に、自分はいずれ、このような兵器によって殺され、戦死者リストに連なってしまうんだ、ということに気づいて、ね」

「…」

「本当に精強な兵器アイテムは、一定の期間戦線で優位を保つけど、弱点が分析されて効果が低くなる。アイテムはその使用者の命と引き換えにさらに進化していく」

「でも、もとの武器は造りすぎているから無駄になる…」

「…無駄にしないために、テロリストや非正規軍のゲリラに売り払われていく」

「そしてテロルや戦争が続いていくのね…」

ケイティが続けて言った。

「百歩譲っても、人間が人間同士の間ですればいいことなのに、そこに人間を信じてくれている友達まで…、犬たちまでも巻き込んで殺し合わせる、なんて…」

ケイティが涙声になっている。

「戦争はね…、というか、戦争を進めようとする政府は、勝つために役に立つことは本当に何でもする。犬が人以上に効用がある点をもっているならそれを戦闘能力として引き出す…」

「そのために役に立ちそうな犬は徴用していくんだわ」

「そう。人間も、兵士として招集されたら、どんな恐ろしいことだってしなければならない」

「誰にいつ招集令状が届くかも、わからないのよね」

「大国の要請に応える「後方支援」特別部隊編成を、ＯＩＤ…だね、オブジェクト識別子によって、政府が自由におこなうことができる」

「あの国民総背番号制「全住民指定番号」が前身だったのね」

「そのとおりだったね」

「前に、ヴァートから話を聞いていたけど…」

「ああ、あの、ケントが風邪をひいたときに診てもらったお医者…ヴェテラナリアンの」

「そう」

「ヴァートがなんて言っていたの？」

「怖いわ、アーノルド。あたしは、ケントを絶対に兵役に出したりしない。ヴァートが教えてくれたのはね、獣医あてに「体格がよくて人に従順な大型犬を推薦してくれ」っていう要請が届いてるんだって

「なんだって？」

急にアーノルドが激高して言った。

「推薦、ってどういうことなんだ！　何が目的なんだ！」

相手がケイティなのに、アーノルドの声が大きい。

「犬の知恵をさらに高める研究のためだから、徴用のようなタダで、じゃなくて「お支払いします」と防衛管轄相がうそぶいてるって、ヴァートが怒っていたわ」

「僕らが丹念に育てている犬を、実験動物とするために提出しろ、っていうのか！」

「お金なんかいくら積まれても、あたしは絶対にケントを手放したりしない」

アーノルドも、怒りが冷めぬままに続けて言った。

「まったくだよ。人殺しのために、犬にもっと知恵をつける、っていうんだな」

「ありえないわ。誰かを傷つけたり命を奪ったりするために、あたしは犬を飼ってるんじゃない」

アーノルドが言った。

「そうだよ。人の子だって動物だって、殺したり殺されたりするために育ててるんじゃない」

そう言うアーノルドの手を取って、ケイティが言った。

「人の命、動物の命は何よりも貴いわ」

「そうだよ。僕たちが自分の子どもや愛する動物のためにかけた愛情の結実をもぎとるのが、国軍への強制徴集制度なんだ」

「そんな恐ろしいことを、どうして…」

「僕は強くは言えないな。人に誇れるほどのことは何もしてこなかった。投票を欠かさなかったこと以外には…」

「あたしも、おんなじだわ。そもそも百年も昔に終わった戦争のあと、この国には外国軍隊の基地が置かれっぱなしで、とくに沖縄県はたいへんな迷惑をこうむっている。最近、エジプトの友人が「日本の全国各地には他国の軍事基地がある」と聞いて驚いていたわ…」

僕とステラも、ケイティとアーノルドの深刻なムードを感じ取って、ときどきお互いに視線を絡ませたりしながら、カーペットの上での「ステイ」を遵守していた。室内にいる「四人」の構成が楽しくもあったから、それはちっとも苦痛ではなかった。

そこで、アーノルドとケイティの携帯端末が振動した。

「はい。あ、リヒャルト。電話をありがとうございます。こちらは、アーノルドです。…はい、そうなんですね。わかりました。僕はいまケイティの家にいて、ステラもケントも一緒です」

「リヒャルト。ケイティです。割り込んでいいですか？」

ケイティが自分の携帯端末を耳に当てながら言った。

「リヒャルト。えっ⁉ そうなんですね。わかりました。みんなですぐに…」

そう言って、ケイティはアーノルドとアイコンタクトし、僕に目配せした。アーノルドも端末を持ったままの姿勢で、足元のステラに目をやった。ステラがうなずいてそれに応えている。

「すぐに伺います。そう。きょうが六十三日だったのですね。それはよかった。病院は…。はい。URLが着信しました。カーナビもつながるので、すぐそちらへ」

「え？　なんですって？　いいこと？　もう十分にいいことはあったのでは？」

今度はアーノルドが、自分の携帯端末の向こうにいるリヒャルトに向かって続ける。

「いや、いけばわかりますね。では、ケイティ、ケント、ステラと。いますぐに」

二人がリヒャルトとの電話を終えた。ケイティが言った。

「じゃ、すぐにヤマモト病院へ出かけましょう。ちょっとだけ待ってね。お化粧、すぐだから」

そう言って、ケイティがバスルームに飛び込んだ。

僕とステラは、少し狐につままれたように顔を見合わせた。

「深刻なお話がソファで続いてるな、と思ったら、今度はお出かけね」

ステラがそう言ってから、僕に尋ねた。

「そうだよね。わかる？　何のことか」

「いいじゃないか。ユーマンの事情だよ。何かいいこともあるみたいだしね」

そこへユーマンのアーノルドから声がかかった。

「さ、ステラ、ケント。僕の車でケイティを待とう」

そう言いながらジャケットを取るアーノルドのほうに、ステラが飛び出していった。

ガレージに足を踏み入れると屋内の照明がついて、ステラの車の電源が入った。低いモーター音だ。アーノルドが運転席に、助手席はケイティに空けておいて、僕とステラとは、後部座席に乗り込む。ステラが左手の後部ドアに近づいてひと声鳴くと、そのドアが開いた。

「ステラ、お待ちしていました」

機械の声がステラを迎えた。

「ガイダンスコールはいらないのに。ま、いいか。ケントも乗ります」

「ケント、お待ちしていました」

「ありがとう、アメリア」

僕はステラの自動車にお礼を言った。彼女の車はアメリアという名前だ。

「どういたしまして、ケント」

ステラの自動車、アメリアがそう答えた。

そこへケイティが飛び込んできて、僕たちはヤマモト病院へ向かった。


クリニックの一階では、ジークフリートが僕たちを迎えてくれた。

「おめでとう！　ジークフリート！」

と僕たちが口々に叫ぶ。

「きょうから、お兄ちゃんになったんだね」

車のなかで聞いたとおり、ジークフリートには、きょう、妹が生まれたのだ。

四階二十一号の病室のベッドに、ののかが横たわっていた。傍らにはユーマンのリヒャルトが立っている。嬰児は部屋の外、廊下突き当たりの全面ガラスの向こう、無菌室のベッドでうたた寝をしている。うつ伏せで、耳を伏せ、両目を閉じているが、浅い呼吸に合わせて背に掛けられた薄い毛布が動いていた。

「ののか、おめでとう！　頑張ったわね。かわいいわ。赤ちゃん。女の子なのね」

「ありがとう、ステラ。それから、ケント、よくきてくれました」

ののかが、本当にうれしそうに笑顔を見せる。ステラが「頑張ったわね」と言ったことは嘘ではない。よく僕たちの出産は必ず安産だと信じている人間がいる。それはとんでもない誤解だ。確かに、数人の嬰児を出産する際には、一人ずつが相対的に大きくないために、一人だけを産むことに比べるとより安産という事実があるかもしれない。しかし、人数によらず、お産というものは簡単なことではない。人だろうが、犬だろうが、女性は命がけで新しい生命を産み出すのだ。

「女の子が生まれたのね。ジークフリートにはきょうから妹ができた。えっと、お名前は…」

そうステラがふれようとすると、ののかとジークフリートの顔が少し曇る。

「…あ、ごめんなさい」

ヴォルフガングの消息を気にしている二人に気づいて、ステラが続けた。

「きっと、お父さんは大丈夫よ」

「ありがとう。ステラ。あのね、あの子の名前はね、ヴォルフガングとは相談してあるのよ…」

うつむきがちにののかが言い、ジークフリートがそののかの頬に自分の頭を擦り付けている。

そのとき、リヒャルトの携帯端末が自動的に音を立てた。

「臨時ニュースを申し上げます。方面情報一部解禁による臨時ニュースを申し上げます。プロトタイプとして中東地域で後方支援にあたって損害を受けていた動物混成（ミクスト）普通科擲弾兵分隊で九死に一生をえたハンドラーのマイケル・マツイ・ブルックス・Hは、愛犬のヴォルフガング・フォン・ニーベルンゲンリート・D号とともに、本日無事、帰還を果たしました…」

え!?　なんですって？　聞いてないよ。そんなこと…。

そしてそのとき、ノック三回のあとであの僕の主治医でもあるヴァートの顔が現れ、こう言った。

「ヴォルフガングが帰ったよ」

ヴァートの後ろから、当のヴォルフガングが病室に駆け込むと、まっすぐにののかに頬を摺り寄せた。

「愛してるよ、ののか」

そして彼はリヒャルトを見上げてから、ジークフリートとみんなのほうを振り向いた。

「帰りました。みなさん」

「パパ！　よかった。無事だったんだね！」

ジークフリートは、胸を詰まらせてせきこんで大泣きしながら、ヴォフルガングに尾を振ってむしゃぶりつく。

「私はヴォルフガングの主治医でもあるからね。所轄署から連絡を受けて、出迎えと同時に健康診断をしてきたんだよ。体温、血圧、心拍、呼吸数はじめ、血液検査も心電図もオールA。とても健康だ。あとは妻と家族の癒しで完璧だよ」

「ヴァート、ありがとう」

ヴォルフガングのオーナーであるユーマンのリヒャルトも涙を流しながらヴァートの手を取った。

「おめでとう、リヒャルト。いい娘が生まれたね」

ヴァート（Vet./Veterinarian＝獣医師）がそう言った。

「ありがとう、ヴァート。新生児の名前はね…」

そう言って、リヒャルトが、ヴォルフガングとののかを振り向いた。

「この子の名前はね…」

そう言って、ヴォルフガングとののかが、ジークフリートの顔色を見る。そこでジークフリートが二本足で立ち上がると胸を張って叫んだ。

「妹の名前は、「るりか」です」

ケイティが、リヒャルトの手にしたパッドに、「琉里香」の三文字が浮かんでいるのを指さし、僕とアーノルドを見比べてほほ笑んだ。

僕は、ケイティとステラを見ると体中にうれしさが込み上げてきて、「ウー、ワンワンワン！」と叫んでから、ニッコリとほほ笑み返した。

おわりに

いきなり巻末を開いてくださった方との勝負です。このページを見ただけでは、冒頭の「挑戦状」に書いた「仕掛けられた謎」がわからない。それでいて、ああ、そうなんだと感慨をもっていただけるように。そう締めくくりたいのです。

しかし、これを見なくても早くから「謎」が解けた方、お疲れさまでした。とくに、謎が解けたにもかかわらず読み通してくださった方に、心から感謝を申し上げます。

人間は自分だけでなく、周りの生き物に支えられて暮らしている。電気・電子のマシーナリーの開発に力を注ぐ一方、周りの動物・植物との協働にも心を砕いていかなければならない。そういうことをテーマにした一編になりました。

本編にとりかかる前にいろいろな方からの刺激をいただきました。またSNSで、いろいろな方から知恵を頂戴しました。そこからそれぞれの原点に返って、知識の源泉となっている書物のページを開いていくことができました。それらの書物や作品の著者の方々に心から感謝の意を表します。

そして、よかったら教えてください。今度挑もうとしたテーマが妥当だったか否かを、感想として聞かせてほしいのです。その機会を心から楽しみにさせていただいています。

あとがき

三つのことを書いて「あとがき」とします。

はじめに、この二つの物語を書き終えたのは、既に六年も七年も前のことです。そのことによってお断りしなければならないことがいくつかあります。

登場人物は誰もコロナウイルスを警戒していません。一話は過去のことだからいいのですが、もう一話は二十年と少し未来の話です。人類がこの災厄を克服してからあとの世界を語っていることにさせてください。

それから近年、私がとくに気にかけていることとして、ジェンダーとレイシズムをどうとらえるか、という問題があります。率直に申し上げて、私はいずれにしても、マイノリティにあたる人やこれまでの習慣によって不利益を受けている人に敵対する気持ちは毛頭ありません。数年前に執筆した時点では、各種の表現で男女の区別を際立たせることが、現在のように配慮を要するようになるだろうことを予想していませんでした。校正を通じて、いくつかの箇所で思い当たるところがありました。しかし、どうかみなさまは、筆者が差別を残したり際立たせたりなどを決して望んでいないものであることをご理解くださいますようお願い申し上げます。

二つ目に、この二編の物語は、過去十何年かの間に書きためた原稿の一部だったことを申し添えます。

そのなかでも、ＳＦとされるジャンルの作品二話を所収しました。一話は、スペースオペラでありながらも地球を舞台にした作。アシモフの作品のなかに「トランター物」とされている数編がありますが、時代を異にしながらも、本作はそこに付け加えることをお許し願いたい物語。核分裂エネルギーの人との折り合いもテーマです。

また、二編目は広義の「ロボット物」ととらえていただきたい作です。国民を「全住民指定番号」で統制したいという行政の意図を、人類の古くからの友人である犬と一緒に考えます。

三つ目は、今回の出版に至ったことにきっかけをくださった方々へのお礼です。

一人ひとりの名前をあげようとすると、数えきれないほどの方々からきっかけをいただきました。背を押してくださった方も、奮起する材料をくださった方もありました。その両方の方々に最後にお礼を申し上げます。

とくに執筆に励ましをくださった鷲巣力先生、青弓社をご紹介くださった備仲とし子さん、そして十数編のなかから二編を取り上げて出版にご助力くださった青弓社の矢野恵二さんに心からのお礼を申し上げます。あわせて、ご支援をいただいたすべての方々に対して深甚の謝意を記します。

二〇二一年五月

[著者略歴]
広小路 敏（ひろこうじ さとし）
1955年、岡山県生まれ（本名：松田敏）
立命館大学法学部卒業
立命館大学などで司書として図書館業務に従事。ほかに大学入学試験改革や、ラジオ大阪OBC『立命敏感らじお』はじめ、文化放送、ABC、MBS、ラジオ短波などで受験生・青春相談DJを担当した。2021年に退職
これまで「僕の走路図」（自動二輪物）、「竜之進」（時代物）、「トラネコ少年探偵団」（月刊地方紙に2018年に12回掲載、ジュブナイル）、「マンチュリア急行殺人事件」（推理物）ほか十数作を書いている
本書が初の書籍出版

アトランタからきた少女（しょうじょ）ラーラ

発行――2021年7月21日　第1刷
定価――2000円＋税
著者――広小路 敏
発行者――矢野恵二
発行所――株式会社青弓社
〒162-0801 東京都新宿区山吹町337
電話 03-3268-0381（代）
http://www.seikyusha.co.jp
印刷所――三松堂
製本所――三松堂

ISBN978-4-7872-9260-5　C0093